岩 波 文 庫
33-125-4

兆 民 先 生

他 八 篇

幸 徳 秋 水 著
梅 森 直 之 校注

岩 波 書 店

目　次

小　文

兆民先生

第一章　緒　言

「寂寞北邙呑涙回、斜陽落木有余哀、音容明日尋何処、半是成煙半是灰」（寂寞《せきばく》たる北《ほく》邙涙《ぼうなみだ》を呑《の》んで回《かえ》れば、斜陽落木余哀《しゃようらくぼくよあい》有《あ》り、音容明日何処《おんようみょうにちいずく》にか尋《たず》ねん、半《なかば》は是《こ》れ煙《けむり》と成《な》り半《なかば》は是《こ》れ灰《はい》」、

想起す去年我兆民《われちょうみん》先生の遺骸を城北落合の村に送りて荼毘《だび》に附するや、時正《まさ》に初冬、一望曠野《こうや》、風勁《つよ》く草枯れ、満目惨凄《まんもくさんせい》として万感胸に湛《たた》へ、去らんと欲して去らず、悄然《しょうぜん》車に信《まか》せて還《かえ》る、這《この》一首の悪詩、即《すなわ》ち当時車上の口占《こうせん》に係《かか》る、嗚呼《ああ》逝《ゆ》く者は如斯《かくのごと》き歟《か》、匆々《そうそう》茲《ここ》に五閲月《ごえつげつ》、落木蕭々《らくぼくしょうしょう》の景は変じて緑陰杜鵑《りょくいんとけん》の天となる、今や能《よ》く幾人の復《ま》た兆民先生を記する者ぞ。

但《た》だ予や年初めて十八、贄《し》を先生の門に執《と》る、今に迨《およ》んで十余年、其《その》教養撫育《ぶいく》の恩深く心肝《しんかん》に銘ず、而《しこう》して未《いま》だ万一《まんいつ》の報ずる有らず、早く死別の悲《かなし》みに遭《あ》ふ、遺憾《いかん》何ぞ限

らん、平生《へいぜい》事に触れ物に接して、毎《つね》に憶《おも》ふて先生の生前に至れば、其容《そのすがた》其音《そのこえ》、夢寐《むび》の間に髣髴《ほうふつ》として、今猶《な》ほ昨《きのう》の如きを如何せんや。

況《いわ》んや夫《そ》の高才《こうさい》を持し利器を抱《いだき》て、而《しか》も遇《あ》ふ所ある能《あた》はず、半世轗軻伶俜《はんせいかんかれいへい》の裡《うち》に老い、圧代《あつだい》の経綸《けいりん》を将《もち》て、其五尺躯《そのごしゃくのからだ》と共に、一笑空《いっしょうむな》しく灰塵《かいじん》に委《まか》して悔《く》ゐざらしむる者、果して誰《たれ》の咎《とが》ぞ哉《や》、嗚呼這箇《この》人間の欠陥、真《まこと》に丈夫児《じょうぶじ》千古の恨みを牽《ひ》くに足る、孔夫子《こうふうし》曰《い》へるあり、「従于彼曠野、我道非耶」〔彼《か》の曠野《こうや》に従《したが》ふ、我道《わがみち》非なる耶《か》〕と唯《た》だ此《この》一長嘆《いちちょうたん》、実に彼が万斛《ばんこく》の血涙を蔵して、凝《こ》り得て出来《しゅつらい》する者に非《あら》ずや、予豈《あ》に特に師弟《してい》の誼《よしみ》あるが為めにのみ泣かん哉。

而して先生今や即ち亡し、此夕《このゆうべ》独り先生病中の小照《しょうしょう》に対して坐する者多時《たじ》、涙覚へず数行《すうこう》下る、既にして思ふ徒《いたず》らに涕泣《ていきゅう》する、是《こ》れ児女《じじょ》の為《なす》のみ、先生我れに誨《おし》ゆるに文章を以てす、夫《そ》の意気を導達する、其《そ》れ惟《た》だ是れ乎《か》、即ち禿筆《とくひつ》を援《ひき》て終宵《しゅうしょう》寝《い》ねず。

描く所何物ぞ、伝記乎《か》、伝記に非ず、評論乎、評論に非ず、弔辞《ちょうじ》乎、弔辞に非ず、惟《た》だ予が曽《かつ》て見たる所の先生のみ、予が今見つゝある所の先生のみ、予が無限の悲みのみ、予が無窮《むきゅう》の恨みのみ、之を描きて豈《あ》に能《よ》く描き尽すと曰《い》はんや、即ち児女の泣《きゅう》に代へて聊《いささ》か追慕の情を遣《や》るのみ、思ふに天下有心《こころある》の人あつて、能く個中の消息を解せらるゝを得ん哉《や》。

第二章　少壮時代

中江兆民《なかえちょうみん》先生は、弘化四年高知城下新町に生る、幼名は竹馬《たけま》、長じて篤介《とくすけ》と改む、兆民は其《その》号、別に青陵《せいりょう》、秋水《しゅうすい》、南海仙漁《なんかいせんぎょ》、木強生《ぼくきょうせい》等の号あり、考《こう》は卓介《たくすけ》、妣《ひ》は柳子《りゅうこ》、一弟あり、虎馬《とらま》と云ふ、不幸短命にして逝《ゆ》けり。

先生年十三にして、卓介君卒《しゅっ》す、家甚《はなは》だ貧、而《しか》も母堂貞烈《ていれつ》にして気胆あり、紡織《ぼうしょく》自ら給し、其二児《にじ》を訓誨《くんかい》する極めて厳、人皆な其賢《けん》を称せりと云ふ、予亦《また》後年先生の家に在りて、親しく母堂の薫陶《くんとう》を受くるを得て、其真《しん》に先生の母たるに恥《は》ぢざるの人なることを知れりき。

先生幼にして穎悟《えいご》、夙《つと》に経史《けいし》に通じ、詩文を善くせる者の如し、而して其性極めて温順謹厚《おんじゅんきんこう》の人なりしは、頗《すこぶ》る奇なるに似たり、母堂屢〻《しばしば》予等《よら》に語つて曰《いわ》く、篤介少時、温順謹厚にして女児の如く、深く読書を好みて郷党《きょうとう》の賞賛する所となりき、而して今や即ち酒を被《あお》つて放縦《ほうしょう》至らざる無し、性情の変化する、何ぞ如此《かくのごと》く甚しきや、此一事余の痛心に堪へざる所也、卿等《けいら》年少慎《つつしん》で彼れに倣《なら》ふ勿《なか》れと、然れども先生の母堂に事《つか》へて至孝なる、其生涯を通じて渝《かわ》らず、一事の命ぜらるゝ毎に、唯々《いい》として敢て或は違《たが》はざりき。

先生十七、八歳始めて洋学に志し、萩原三圭《はぎわらさんけい》（1）先生、細川潤次郎《ほそかわじゅんじろう》（2）先生に就て和蘭《オランダ》の書を学び、慶応元年十九歳にして、高知藩留学生となり長崎に游《あそ》び、平井義十郎《ひらいぎじゅうろう》（3）先生に就て、始めて仏蘭西《フランス》学を脩《おさ》めたり。

当時長崎の地は、独り西欧文明の中心として、書生の留学する者多きのみならず、故坂本龍馬《さかもとりょうま》君等の組織する所の海援隊、亦《また》運動の根拠を此《この》地に置き、土佐藩士の来往極めて頻繁なりき、先生曽《かつ》て坂本君の状を述べて曰く、豪傑は自ら人をして崇拝の念を生ぜしむ、予は当時少年なりしも、彼を見て何となくエラキ人なりと信ぜるが故に、平生人に屈せざるの予も、彼が純然たる土佐訛《なま》りの言語もて、「中江のニイさん煙艸《たばこ》を買ふて来てオーせ」、などゝ命ぜらるれば、快然として使ひせしこと屢々《しばしば》なりき、彼の眼は細くして其《その》額は梅毒の為め抜上がり居たりきと。

奇なる哉《かな》、坂本龍馬君を崇拝したる当時の一少年は、他日実に第二の坂本君たらんとしたりき、坂本君が薩長二藩の連鎖となつて、幕府顛覆《てんぷく》の気運を促進し得たるが如く、自由改進の二党を打《うっ》て一丸《いちがん》となし、以て藩閥を勦滅《そうめつ》するは、是れ先生が畢生《ひっせい》の事業とする所なりき、而して坂本君は成功せり、先生は失敗せり、成敗の懸《かか》る所、天耶《か》、将《は》た人耶《か》。

居ること二歳、先生学大《おおい》に進む、即ち去りて江戸に游ぶの意あり、当時長崎より江戸に来往する外国飛脚船の船賃実に二十五両を要す、即ち同藩の先輩岩崎弥太郎《いわさきやたろう》君に向つて志を言ふ、岩崎君依違《いい》して許さず、曰く少《しば》らく待てと、其迫ること屢〻なるに及んで、断然之を排して曰く、二十五両は巨額也、一書生の為めに投ず可けんやと、先生亦《また》怫然《ふつぜん》として曰く、如此《かくのごと》くんば決して再び請はず、然れども僕の一身果して二十五両を値《あた》ひせざるや否や、之を他日に見よと、袂《たもと》を払ふて去れり、蓋《けだ》し当時土佐藩留学生は岩崎君監督の下に在りし也。

時恰《あたか》も故後藤象二郎《ごとうしょうじろう》君の、藩命を以て来り、汽船を購入するに会す、先生即ち往《ゆき》て謁《えっ》し、一絶《いちぜつ》を賦《ふ》して献ず、其前二句《ぜんにく》は今之を忘る、転結は即ち云ふ、「此身合称諸生否、終歳不登花月楼」（此《こ》の身《み》合《まさ》に諸生《しょせい》と称《しょう》すべきや否《いな》や、終歳登《しゅうさいのぼ》らず花月楼《かげつろう》）、後藤君笑つて二十五両を出して与ふ、先生大に喜び、直ちに外国船に搭《とう》じて江戸に出づ、意気奮《いきふん》揚《よう》想ふ可き也、此詩先生自ら書するもの、伊藤大八《いとうだいはち》君現に之を蔵せり。

故村上英俊《むらかみひでとし》先生(4)は、日本に於ける仏蘭西学の泰斗《たいと》と称せらる、当時塾を深川真田《さなだ》邸内に開く、先生即ち往《ゆき》て贄《し》を執《と》れり、然れども先生学術既に儕輩《せいはい》に抜き、眼中人なく、気を負ふて放縦羈《ほうしょうき》す可らず、屢ゝ深川の娼楼《しょうろう》、所謂《いわゆる》仮宅に留連《りゅうれん》し、遂に村上先生の破門する所となれり、村上先生の晩年病《やん》で落魄《らくはく》するや、先生旧時の師恩を思ひ、慰問怠らざりしと云ふ。

先生村上塾を去《さり》て、横浜天主堂の僧に従て学び、神戸大坂開港の時、仏国領事に従ふて大坂に游《あそ》ぶ、幾《いくば》くもなく伏水《ふしみ》の役《えき》あり、王政維新となるや、箕作麟祥《みつくりりんしょう》(5)先生江戸に出で、裏神保町に私塾を開くに会す、先生即ち又江戸に来り、箕作先生の門弟となる、其《その》箕作塾に在るや、一時大学南校《なんこう》の助教たりしこと有り、後《の》ち明治二年(?)福地《ふくち》源一郎《げんいちろう》(6)先生湯島に日新社を設くるや、先生其《その》塾頭となれり。

先生後《の》ち語つて曰く、日新社の設くる、諸生来り学ぶ者多かりき、而も未だ一年ならざるに、福地先生は屢ゝ吉原に遊んで帰らざるが故に、英学の生徒漸く散じ、唯《た》だ予が率ゐる所の仏学《ふつがく》の生徒を余せるのみなりき、彼は到底教育家にあらざりきと、而して先生も亦当時窃《ひそ》かに近傍の稽古所に通ひて、杵屋《きねや》の三絃《さんげん》を学び居たりし也。

先生久しく外遊の志を抱き、故大久保利通《おおくぼとしみち》公に謁《えっ》して請ふ所あらんとす、閽人《こんじん》先生が蓬頭垢衣《ほうとうこうい》の寒措大《かんそだい》なるを見て、拒《こば》んで容《い》れず、先生乃《すなわ》ち日々衙門《がもん》の前に遊びて、公の馬丁と親狎《しんこう》し、相図つて其退庁に乗じ、車後に附攀《ふはん》して往く、公車を下《お》るや、急に進んで刺《し》を通じ、坐に延《ひ》かるゝを得たり、先生乃ち政府の海外留学を命ずる、之を官立学校の生徒に限るの非なるを論じ、自ら其学術優等にして、内国に在《あり》て、就くべきの師なく読むべきの書なきを説きて、其選抜を乞ひ、且つ曰く、同じく是れ国民にして、同じく是れ国家の為め也、何ぞ其出身の官と私とを問はんやと、公莞爾《かんじ》として曰く、足下《そっか》土佐人也、何ぞ之を土佐出身の諸先輩に乞はざる、先生曰く、同郷の夤縁《いんえん》情実を利するは、予の潔《いさぎよ》しとせざる所也、是れ特に来つて閣下に求むる所以《ゆえん》也と、公曰く、善《よ》し、近日後藤、板垣《いたがき》諸君に諮《はか》りて決す可しと、後藤、板垣二君亦為めに斡旋《あっせん》する所あり、幾《いくば》くもなく司法省出仕に任じ、仏蘭西留学を命ぜらる、時に明治四年、先生歳二十五。

先生が仏国留学中の事、親しく其詳細を叩《たた》くに遑《いとま》あらざりしは、今に於て予の深く遺憾とする所也、但《た》だ予は、先生が、先づ小学校に入れるを聞けり、而して児童の喧騒に堪へずして、幾《いく》ばくもなくして去り、里昂《リヨン》の某状師《じょうし》に就て、学べるを聞けり、先生が司法省の派遣する所たりしに拘らず、専ら哲学、史学、文学を研鑽《けんさん》したることを聞けり、「孟子《もうし》」、「文章軌範《ぶんしょうきはん》」、「外史」の諸書を仏訳したることを聞けり、其渉猟《しょうりょう》せる史籍の該博なりしことを聞けり、而して其帰朝や、当時我政府が一切の留学生を召還するの議ありて、先生も亦其《その》中に在り、而して仏国の教師、先生の才を惜みて、資を給して止まらしめんと云ふや、先生意頗《すこぶ》る動けるも、而も母堂の老いて門に倚《よ》るを想ふて、他年風樹《ふうじゅ》の嘆《たん》あらんことを慮《おもんばか》り、竟《つい》に帰途に就けるものなるを聞けり、予の知る所如此《かくのごと》き耳《のみ》。

然れども思へ、当時仏国の状勢たる、新《あらた》に那勃翁《ナポレオン》三世敗衂《はいじく》の余を承《う》け、内は朝野《ちょうや》の党争鼎沸《ていふつ》の如く、外は保守専制の反動澎湃《ほうはい》として来る、而して彼のチエール、ガムベッタ(7)の諸英雄、毅然《きぜん》中流の砥柱《しちゅう》を以て任じ、民主共和の大義の為めに、一代の智勇弁力を揮《ふる》ふて、激闘するの状を見る者、誰か血湧き肉躍らざることを得んや、先生の深く此の間に感得する所ありしや知る可き也。(8)

先生が仏国に於ける交遊は、西園寺公望《さいおんじきんもち》侯、故光妙寺三郎《こうみょうじさぶろう》、故今村和郎《いまむらかずろう》、福田乾一《ふくだけんいち》、飯塚納《いいづかおさむ》の諸君なりしと云ふ、現に存するの諸君に就て当時の事を敲《たた》かば、極めて興趣あり、且つ有益なるべきを信ずる也。

先生、明治七年二十八歳にして帰朝し、元老院書記官となる、大井憲太郎《おおいけんたろう》、嶋田三郎《しまださぶろう》、司馬盈之《しばみつゆき》の諸君と倶《とも》なりき、而して元老院幹事故陸奥宗光《むつむねみつ》君と善《よ》からずして罷《や》め、次で外国語学校長となり、又幾《いくば》くならずして罷《や》む、先是《これよりさき》先生自ら仏学塾を番町に起《おこ》し、政治、法律、歴史、哲学の書を講じ、四方の子弟来り学ぶ者、前後二千余人に及ぶ。

然れども先生は、竟《つい》に尋句《じんく》摘草《てきそう》の儒生《じゅせい》に甘んずる能《あた》はざりき、先生が少時より漢学の為めに養はれたる治国平天下《ちこくへいてんか》の志業《しぎょう》は、其勃々《ぼつぼつ》たる野心を駆《か》れり、其洋学の為めに養はれたる自由平等の理想は其炎々たる熱血を煽《あお》れり、薩長藩閥が専制抑圧の暴威を逞《たくま》しくするの時代に在《あり》て、先生は実に一個革命の鼓吹者《こすいしゃ》たらざる能はざりき。

第三章　革命の鼓吹者

嗚呼巴里《パリ》城中の平民、一たび竿《かん》を掲げて叫ぶや、欧洲列国の王侯宰相為めに震惶《しんこう》せるは何ぞや、他なし、民権は至理なれば也、自由平等は大義なれば也、憐れむ可し、東洋の小帝国、曽て此至理の彩華を現ずるなく、曽て此大義の甘雨《かんう》に浴するなし、駒々然《こうこうぜん》として専制の頑夢《がんむ》未だ覚めず、蠢々乎《しゅんしゅんこ》として猶《な》ほ蛮野《ばんや》の城中に在り、白居易の詩に云ふ、「鯨呑蛟闘波成血、澗底小魚楽不知」（鯨《くじらの》呑み蛟闘《こうたたか》ひ波《なみち》血と成《な》る(も)、澗底《かんてい》の小《しょう》魚楽《ぎょたの》しんで知《し》らず）と明治の初年泰西文明の新空気を呼吸して帰る者、豈《あ》に此感なきを得んや。

先生の仏国に在るや、深く民主共和の主義を崇奉《すうほう》し、階級を忌むこと蛇蝎《だかつ》の如く、貴族を悪《にく》むこと仇讐《きゅうしゅう》の如く、誓つて之を苅除《かいじょ》して以て斯民《しみん》の権利を保全せんと期せるや論なし、且つ謂《いえ》らく、凡《およ》そ民権は他人の為めに賜与《しよ》せらるべき者に非ず、自ら進んで之を恢復《かいふく》すべきのみ、彼の王侯貴族の恩賜に出《いず》る者は、亦其剝奪《はくだつ》せらるゝ有るを知らざる可らず、古今東西、一たび鮮血を濺《そそ》がずして、能《よ》く真個《しんこ》の民権を確保し得たる者ある乎《か》、吾人は宜《よろ》しく自己の力を揮《ふるっ》て、専制政府を顚覆《てんぷく》し、正義自由なる制度を建設すべきのみと。

如此《かくのごとく》にして、先生は革命思想の鼓吹者となれり、「政理《せいり》叢談《そうだん》」は発行せられたり、ルーソーの「民約」は翻訳せられたり、仏学塾は民権論の源泉となれり、一種政治的倶楽部《クラブ》となれり、而して偵吏《ていり》物色《ぶっしょく》の焼点となれり、次で西園寺侯の「東洋自由新聞」起り、自由党起り、板垣君の「自由新聞」起るや、先生皆な之に与《あず》かり、熾《さか》んに自由平等の説を唱へて専擅《せんせん》制度を掊撃《ほうげき》したりき。

而して先生は、独り革命思想の鼓吹者たるのみならず、更に革命の策士、断行者たらんとし、或は九州の地に漫遊して、交《まじわり》を志士に結び、或は東洋学館(9)を起して支那に為すあらんとし、運動怠らざりしもの、如し、而して屢〻困頓《しばしばこんとん》し、蹉跎《さだ》し、満腔《まんこう》の不平遣《や》るに所なく、竟《つい》に酒を被《あお》り世を罵つて、放縦度《ほうしょうど》なきに至れり。

先生が其著「三酔人経綸問答《さんすいじんけいりんもんどう》」中に記する所の一節は、蓋《けだ》し夫子《ふうし》自ら描き得て其真に逼《せま》る者、曰く。

南海先生酷《はなは》だ酒を嗜《たしな》み、又酷だ政事を論ずることを好む、而して其酒を飲むや、僅《わずか》に一、二小瓶《しょうへい》を酳《つく》す時は、醺然《くんぜん》として酔ひ意気飄揺《ひょうよう》として大虚《たいきょ》に游飛《ゆうひ》するが如く目怡《よろこ》び耳娯《たのし》み、絶て世界中憂苦なる者有るを知らず、更に飲むこと二、三瓶《へい》なれば、心神頓《とみ》に激昂し、思想頻《しきり》に坌湧《ふんよう》し、身は一斗《いっと》室《しつ》の中に在るも、眼は全世界を通観し、瞬息の間を以て、千歳《せんざい》の前に溯《さかのぼ》り、千歳の後に跨《また》がり、世界の航路を指示し、社会の方針を講授して、自ら思ふ我は是れ人類処世の指南車なり、世の政事的の近眼者が、妄《みだり》に羅針盤を執《と》り其の船を導きて、或は礁《しょう》に触れしめ、或は沙《さ》に膠《こう》せしめ、自ら禍《わざわい》し人に禍すること、実に憫《あわ》れむ可きの至《いたり》なりと、然れども先生身は斯《この》世界に在るも、心は常に藐姑射《はこや》の山に登り、無何有《むかう》の郷《さと》に游ぶが故に、其説く所の地誌、其述《のぶ》る所の歴史は、斯《この》社会の地誌歴史と唯其名称を同《おなじ》くするのみにして、事実は往々齟齬《そご》することあり、但《ただし》先生の地誌にも気候寒冷の邦《くに》有り、温煖《おんだん》の邦有り、強大の国有り、弱小の国有り、文明の俗有り、野蛮の俗あり、其歴史にも治有り、乱有り、盛有り、衰有りて、極《きわめ》て斯世界の地誌歴史に切当《せっとう》することも間〻《まま》之れ有り、更に飲むこと二、三瓶なれば、耳熱し、目眩《く》らみ、腕奮《ふる》ひ、趾揚《あしあ》がり、発越飛騰《はつえつひとう》して、其末《すえ》や昏倒《こんとう》して前後を知らず、既にして二、三時間睡眠し、酒醒め夢回《か》へる時は、凡そ酔裡《すいり》に言ひし事、又は為せし事は、一掃して痕《こん》迹《せき》を留《とどむ》ることなく、俗に所謂狐憑《いわゆるこひょう》の落ちたるに似たり。

先生酔態《すいたい》実に如此《かくのごと》く、世人見て以て一個の酔漢となせり。

然れども此酔漢や、猶ほ一面に於て、常に革命の鼓吹者たり、革命の策士たりき、而して当時其劃《かく》する所の隠謀秘策の如何は、予一々之を知る能はず、否《い》な知れども語る能はざるを奈何《いかん》せんや、唯《た》だ先生が、或は某々有力者に遊説し、或は某々先輩に献《けん》策《さく》して、多く用ゐられず、鬱々《うつうつ》利器を嘆ぜしは予の明言し得る所也。

先生が平生如何に革命家たる資質を有せしかは、左の一話を以て知るべし、先生仏国より帰りて幾《いくば》くもなく、著《あらわ》す所の策論一篇を袖にし、故勝海舟翁《かつかいしゅうおう》に依り、嶋津久光《しまづひさみつ》公に謁せんことを求む、勝翁即ち海江田信義《かいえだのぶよし》君を介して、冊子を公に献ぜしむ、後数日公召す、先生拝伏して曰く、嚮日《きょうじつ》献ずる所の鄙著清覧《ひちょせいらん》を賜へりや否や、公曰く、一閲《いちえつ》を経たり、先生曰く、鄙見《ひけん》幸《さいわい》に採択せらるゝを得ば幸甚也、公曰く、足下の論甚《はなは》だ佳《よ》し、只《た》だ之を実行するの難き耳《のみ》と、先生乃《すなわ》ち進《すすん》で曰く、何の難きことか之れ有らん、公宜《よろ》しく西郷《さいごう》を召して上京せしめ、近衛の軍を奪ふて直ちに太政官《だじょうかん》を囲ましめよ、事一挙《こといっきょ》に成らん、今や陸軍中乱を思ふ者多し、西郷にして来《きた》る、響《ひびき》の応ずるが如くならんと、公曰く、予召すと雖《いえど》も隆盛命に応ぜざるを奈何《いかん》、先生曰く、勝安房《かつあわ》を遣《つかい》して以て説かしめよ、西郷必ず諾《だく》せんと、公沈思《ちんし》之を久《ひさしゅう》して曰く、更に熟慮すべしと、先生乃ち辞し還れりと云ふ、先生の過激の策を好む、概《おおむ》ね此類《このたぐい》也、故に他年皆な先生を忌憚《きたん》し、然らざれば則ち、徒《いたず》らに奇矯《ききょう》の言を為すとして排せられたりき。

先生壮時より海舟翁の知を得て、深く其人物に推服せり、常に予に語つて曰く、勝先生は当代の英雄也と、後年、大隈《おおくま》君の条約改正の談判に関し物論沸騰《ぶつろんふっとう》するや、後藤君窃《ひそ》かに謂《いえ》らく、勝伯は宮中の信任厚し、或《あるい》は御諮問《ごしもん》の事なきを保せずと、即ち先生をして予《あらか》じめ往《ゆき》て説く所あらしむ、翁、先生の面《おもて》を一見するや否や、大笑して曰く、「又条約の事で老人をイヂメに来たのだナ」と、先生深く其慧眼に服せり。

先生又《また》海舟翁の談に依て、西郷南洲翁の風采を想望し、欽仰措《きんこうお》かず、深く其時を同じくせざるを恨みとせり。

先生曽て吟じて曰く、「圯上受書知既久、沢中誰是斬蛇人」(圯上《いじょう》に書《しょ》を受《う》けて知《し》ること既《すで》に久《ひさ》し、沢中誰《たくちゅうたれ》か是《こ》れ蛇《へび》を斬《き》るの人《ひと》)と、先生の志を当世に抱くや窃《ひそ》かに子房《しぼう》を以て自況《じきょう》せり、曰く諸葛亮《しょかつりょう》は天下古今第一品の人物、我企及《わがききゅう》すべき所に非ず、若《も》し夫《そ》れ張《ちょう》良《りょう》は、我之に任ずるを得ん、但《た》だ我が為めに漢高《かんこう》たる者なきを恨むのみ、若し西郷南洲翁をして在らしめば、想ふに我をして其材を伸ぶるを得せしめしならん、而して今や則ち亡しと、語此《ここ》に到れば毎《つね》に感慨に堪へざる者の如くなりき。

嗚呼士の不遇、千古《せんこ》同歎《どうたん》、彼大沢斬蛇《かのだいたくざんだ》の英雄なく、自由党解体し、「自由新聞」廃刊し、仏学塾亦次《またつい》で潰散《かいさん》し、明治の張良は、空しく陋巷《ろうこう》に窮居し、多少の滄海公《そうかいこう》と共に、酒を飲で日を消するのみ。

然れども先生が多年撒布《さんぷ》せる革命の種子は、決して萌芽を発せずして已《や》まざりき、彼の明治十四年自由党創立の前後より、民権自由の思想は燎原《りょうげん》の火の如く、政府は百方之《これ》が鎮圧に力《つと》め、朝野の紛争軋轢其極《あつれきそのきょく》に達して、遂に明治十五年、河野《こうの》広中《ひろなか》等の福嶋事件(10)となり、同年赤井《あかい》景韶《かげあき》等の高田事件(11)となり、同十七年富松正安《とみまつまさやす》等の加波山《かばさん》事件(12)となり、同年村松愛蔵《むらまつあいぞう》等の名古屋事件(13)となり、竟《つい》に十八年十月大井憲太郎等の大阪事件(14)あるに至る、其他飯田事件(15)の如き、静岡事件(16)の如き、高崎事件(17)の如き、多くの暴発を見るに至れるは、豈《あ》に先生の手中に運《めぐ》らすの一管《いっかん》、与《あず》かつて大《おおい》に力ありしに非ざるを知らんや。

而して風雲は漸く急也、明治二十年井上馨《いのうえかおる》の条約改正失敗するや、全国の志士、名を三大事件(18)の建白に托し、爆弾を抱《いだ》て輦轂《れんこく》の下《もと》に集る者数百人、政府狼狽《ろうばい》して、急に保安条例を発布し、疑似の者を捕へて東京三里以外に放つ、而して先生亦逐客《ちっかく》となる、即ち母堂を奉じて函山《かんざん》の嶮《けん》を踰《こ》えて西《にし》す、時に十二月二十五日、朔風凛冽《さくふうりんれつ》の夕《ゆうべ》なりき、先生歳《とし》四十一。

翌明治廿一年、先生、栗原亮一《くりはらりょういち》、寺田《てらだ》寛《かん》、故宮崎富要《みやざきふよう》の諸君と「東雲《しののめ》新聞」を大阪に発行し、自ら之に主筆たり、当時東京を逐《お》はるゝの政客壮士尽《ことごと》く此地《このち》に集り、政治上の言論、集会、出版皆な此地に於てし、「関西日報」には末広重恭《すえひろしげやす》、森本駿《もりもとしゅん》、「大阪毎日」には柴四郎《しばしろう》、竹内正志《たけのうちまさし》、「大阪公論」には織田純一《おだじゅんいち》、西村時彦《にしむらときひこ》、「経世評論」には池辺吉太郎《いけべきちたろう》の諸君、皆な侃諤《かんがく》の論を為し、競ふて政府を攻撃し、一時其盛《そのせい》を極む、而して先生神韻《しんいん》の文、天馬《てんば》の空《くう》を行くが如く、名声忽《たちま》ち関西に籍甚《せきじん》たり、予が先生の門に入れるは実に此時に在り。

先生当時猶《な》ほ甚だ貧なりき、其新聞社より得る所、僅かに五十余金のみ、而して其曽根崎《そねざき》の寓居は、僅かに四室にして、先生夫妻、令嬢、下婢《かひ》の四人と、及び予《よ》等書生多きは四、五人少きも二、三人常に玄関に群居せり、如之《のみ》ならず日夜訪客堂に満ち、政客来り、商人来り、壮士来り、書生来り、飲む者、論ずる者、文を求むる者、銭を乞ふ者、擾々《じょうじょう》として絶えざりき、母堂は令弟虎馬君の遺孤《いこ》を携へて、近隣に別居せりき。

然れども此時や、先生の意気と文章と正に沖天《ちゅうてん》の勢《いきおい》ありき、先生日に椽大《てんだい》の筆を揮《ふる》ふて時事を痛論せり、日に酣酔淋漓《かんすいりんり》として卓落豪放《たくらくごうほう》の態《てい》を極めたり、其長髪鬖々《ちょうはつさんさん》として、頭に真紅《しんく》の土耳其帽《トルコぼう》を戴《いただ》き、身に「東雲新聞」の印半纏《しるしばんてん》を着て出入せしも此時に在りき、壮士演劇を創して其顧問たりしも此時に在りき、而して隙駒《げきく》匆々《そうそう》早くも憲法発布の時とはなれり。

明治二十二年春、憲法発布せらるゝ、全国の民歓呼《かんこ》沸《わ》くが如し、先生嘆じて曰く、吾人賜与《ごじんしょ》せらるゝの憲法果して如何の物乎《ものか》、玉耶《たまか》将《は》た瓦耶《かわらか》、未だ其実《そのじつ》を見るに及ばずして、先づ其名に酔ふ、我国民の愚にして狂なる、何ぞ如此《かくのごと》くなるやと、憲法の全文到達するに及んで、先生通読一遍唯《た》だ苦笑する耳《のみ》。

先生其著、「三酔人経綸問答」に於て諷《ふう》して曰く、世の所謂《いわゆる》民権なる者は自ら二種有り、英仏の民権は恢復的《かいふくてき》の民権なり、下より進みて之を取りし者なり、世又《また》一種恩《おん》賜的《してき》の民権と称す可き者有り、上より恵みて之を与ふる者なり、恢復的の民権は、下より進取するが故に、其分量の多寡《たか》は我の随意に定むる所なり、恩賜的の民権は、上より恵与するが故に、其分量の多寡は我の得て定むる所に非ざるなりと、然り先生は決して恩賜的民権を以て満足する者にあらざりし也、況《いわ》んや其分量の極めて寡少《かしょう》なる者をや、即ち慨然《がいぜん》として曰く、咄々《とつとつ》朝三暮四《ちょうさんぼし》の計、黔首《けんしゅ》を愚にするの甚《はなはだ》しきや、我党宜しく恩賜的民権を変じて、進取的民権と成さゞる可《べか》らず。

嚮《さき》に保安条例に拘《こう》して退去の令を受くる者、憲法発布に際して皆な解除せられ、政治運動の中心又《また》東京に移れり、時に後藤象二郎君大同団結を唱道して政界に横行す、疾風《しっぷう》枯葉を払ふの概あり、而して其雑誌「政論」を日刊となすや、先生を聘《へい》して主筆たらしむ、先生乃《すなわ》ち家を挈《ひっさ》げて東京に還る、予も亦従へり。

幾《いく》ばくもなく後藤君其友を売《うり》て入閣し、大同団結解体し、在野政党四分五裂《しぶんごれつ》の状あり、先生同志と共に自由党を再興し、「自由新聞」、「立憲自由新聞」等に主筆として専ら民党の糾合《きゅうごう》を図り縦横の策最も力《つと》む、而して議会開設に及んで、大阪より選《えら》まれて議員となる。

嗚呼《ああ》議会開けて十年、其間《そのかん》議員候補たる者幾万人ぞ、而も一厘一銭の金を費《ついや》すことなく、一挙手一投足の運動なくして、強《しい》て選挙民の為めに推《お》されて出る者、先生の如きは絶て見ざる所也、徳高きに非ずんば、曷《いずく》んぞ能《よ》く如此《かくのごと》きを得んや。

第四章　議員と商人

憲法布《し》く、議会設《もう》く、人は参政の権を得たるを慶せり、世は新天地に入れるを賀《が》せり、然れども此憲法や、先生の眼中に在《あり》て果して何物ぞや、此議会や先生の眼中に在て果して何物ぞや。

先生は所詮《しょせん》主義の人也、理想の人也、此主義果して行はれたる乎《か》、此理想果して現ぜられたる乎、民権果して恢復《かいふく》せられたる乎、自由平等果して確保せられたる乎、思ふて此に至れば、猶ほ災風《さいふう》の日、身に葛衣《かつい》の軽きを著《つ》けて、頭に鉄帽の重きを戴くの感なきを得んや、乃《すなわ》ち謂《いえ》らく、議会劈頭《へきとう》第一の事業は、恩賜的民権を変じて、進取的民権と為すに在らざる可らず、専制政府の顚覆《てんぷく》に在らざる可らずと。

見よ、吾人は憲法に於て何の与へらるゝ所ぞ、議会は何の権能か有る、内閣は議会に対して何の責任なきに非ずや、上院は下院と同一の権能を有するに非ずや、内閣は常に政党以外に超然たるに非ずや、条約の訂結《ていけつ》は議会の与《あずか》り知らざる所に非ずや、宣戦媾和《こうわ》は民人の与り知らざる所に非ずや、予算協賛の権は上院の為に其半ばを奪はるゝに非ずや、若《も》し如此《かくのごと》くんば我議会は独《ひと》り民権伸張の具となすに足らざるのみならず、他日徒《いたず》らに政府の奴隷たるに了《おわ》らんのみ、内閣の爪牙《そうが》たるに了らんのみ、堕落腐敗に了らんのみ、吾人は直《ただち》に憲法の改正を請《こ》はざる可らず。

然《しか》り、吾人民人の代表者は、如此《かくのごと》きの憲法の下《もと》に在ては、何事をも議し能はざるに非ずや、国家の利益と民人の幸福を増進すること能はざるに非ずや、衆議院議員は宜しく開会劈頭《へきとう》に於て、此意を具して、奏請する所ある可きのみと、是れ実に第一期議会前に於ける先生の大抱負なりき。

如此《かくのごと》くにして、先生は其十年一剣《いっけん》を磨して計図《けいと》せる所を以て、直ちに之を平和の中に遂行せんとしたりし也、彼は到底革命の鼓吹者たらざる能はざりき。

先生は乃ち此議《このぎ》を以て在野政友に切言《せつげん》して曰く、若し今にして決せずんば、他日噬臍《ぜいせい》の悔《くい》あらん、宜しく其基礎未《いま》だ固からざるに乗じて、之を撃破すべき耳《のみ》、此膝《ひざ》一たび屈せば又《また》伸ぶ可らず、機失ふこと勿《なか》れと。

然れども当時又一人の先生に聴く者なかりき、皆な曰く、何ぞ兆民の矯激《きょうげき》俗を驚《おどろか》すの甚《はなはだ》しきや、甚しきは即ち不臣不忠を以て先生を排する者あり、先生其為《な》すなきを見て、退《しりぞ》いて、浩歎《こうたん》するのみ。

而して先生猶ほ意を政界に絶たず、日々握飯《にぎりめし》を竹皮《たけのかわ》に包みて、議院に出づ、而して予算八百万円削減の問題に関し政府在野党の衝突するや、以為《おもえ》らく藩閥を殪《たお》す此の一挙に在りと、熱心各派の間を往来し、周旋大《しゅうせんおおい》に力《つと》む、当時民党《みんとう》、吏党《りとう》なる熟語は、先生が「立憲自由新聞」紙上に於て創作せし所也。

回顧すれば、民吏《みんり》両党の轡《くつわ》を駢《なら》べ、旗鼓《きこ》堂々として相当《あいあた》るや、恰《あたか》も東西両軍の関ケ原に闘ふが如く、真《まこと》に一代の壮観を呈したりき、而して民党の猪突驀進《ちょとつばくしん》して直ちに藩閥の塁《るい》に肉薄するの時に方《あた》つて忽然《こつぜん》として金吾《きんご》秀秋《ひであき》は現出せり、自由党の所謂土佐派なるもの款《かん》を敵に通じて、六百万円削減の交譲成り、九仞《きゅうじん》の功一簣《こういっき》に欠きて、民党為めに潰走《かいそう》し、藩閥政府万歳を謳《うた》はんとは。

先生此時眦《まなじり》為《た》めに裂く、直ちに「無血虫《むけつちゅう》」なる一文を艸《そう》して之を「立憲自由新聞」に掲げ、大に反覆者を罵倒し、次で辞表届を議長中島信行《なかじまのぶゆき》君に呈したり、其文に曰く、「アルコール中毒の為め、評決の数に加はり兼ね候に付き、辞職仕《つかまつり》候《そうろう》」と、議長懇《ねんご》ろに其在任を勧め、滞京の選挙人亦《また》驚きて、馳《は》せて其門を叩きて之を諫《いさ》むるも、先生頑《がん》として聴かざりき。

先生議員を罷《や》むる後、新井章吾《あらいしょうご》君等と「経綸雑誌」を起し、次で「民権新聞」を発行し、一面熾《さか》んに政府及び吏党を攻撃し、一面自由、改進両派の聯合を主張し、以て全力を藩閥勦滅《はんばつそうめつ》の事に致せり、先生曰く、維新の革命は実に薩長両藩の聯合あつて、而して後始めて之を成すを得たり、今の自由、改進の両派は猶《な》ほ当年の両藩の如し、真に第二維新の業を成さんと欲せば、両派直ちに聯合せざる可らずと。

蓋《けだ》し自由改進の両党、甚だ其主義政見を異《こと》にするあらずと雖《いえど》も、其歴史と感情との異なるが為めに、其反目睽離《けいり》犬猿《けんえん》も啻《ただ》ならざりき、而も第一期議会に歩調を斉《ひと》しくしたる以来、双者の間寝々融和《しんしんゆうわ》の傾きあり、先生即ち此機に乗じ、百方策《ひゃっぽうさく》を劃《かく》して、竟《つい》に大隈、板垣両君をして一堂に会見せしむるを得たり。

多年呉越《ごえつ》の如くなりし両君が、一朝相会《いっちょうあいかい》して其旧交を温《あたた》め、手を携へて政治の改革に努力するを誓へるの一事は、忽ち天下の人心を新《あらた》にして、政府為めに震憾《しんかん》し、而して大隈君為めに枢密顧問の官を罷《や》められたり、次で民党大懇親会なる者開かれ、民党の意気大に昂《あが》る、皆な曰ふ、天下の事手に唾《つばき》して成すべしと、実に明治二十四年十一月第二議会開会の前なりき、而して其結果や、即ち第二議会の解散となり、所謂二十五年の選挙干渉となれり。

此聯合や蓋《けだ》し先生が、政治運動に於ける最初の成功にして、又最後の成功たらざる能はざりき、先生幾《いくば》くもなくして、身を貨殖《かしょく》の業に投じたれば也。

先生、仏学塾解散の後、只《た》だ新聞雑誌に衣食す、毎月受くる所、五十金百金、多きも二百金に過ぎず、而して其載筆《さいひつ》する所、皆な政党の機関たるが故に、其資金甚だ乏しく、且つ極めて利殖に拙《せつ》にして、朝《あした》に起りて夕《ゆうべ》に廃す、「自由新聞」や、「立憲自由新聞」や、「民権新聞」や、「京都活眼新聞《きょうとかつがんしんぶん》」や、「東雲新聞」や、「経綸雑誌」や、比々《ひひ》皆な然らざるはなし、家益〻《ますます》貧にして逋債《ほさい》益〻多し、二十五年、小樽の有志「北門新報」を創し、先生を聘《へい》して主筆たらんと乞ふ、先生乃ち北海道に行き、居ること少時、遂に政界と文壇とを退《しりぞ》き、家を札幌に賃《ちん》して紙店を開き、次で北海道山林組なる看板を掲げ貨殖に汲々《きゅうきゅう》たるに至れり。

先生当時予に語つて曰く、今の政海に立つて鉄面厚顔の藩閥と闘《たたか》ふ、如何に筆舌《ひつぜつ》を爛《らん》して論議するも、其功果《そのこうか》極めて遅々《ちち》たり、況《いわ》んや今の政党員、皆な貧困にして、加ふるに其運動の不生産的消費を以てす、其窮極する所は、餓死に非ざれば自殺ならん、否《しか》らずんば即ち節を枉《ま》げ説を売りて権家富豪《けんかふごう》に頤使《いし》せらるゝの外《ほか》なきに至らん、夫《そ》れ人尽《ことごと》く夷斉《いせい》に非ず、能く節義の為めに餓死を忍ぶが如きは、是れ庸衆《ようしゅう》に向つて期待す可らざるの事也、彼の某々の如き、豈《あ》に節義の何物たるを知らざらんや、而も暮夜《ぼや》権門《けんもん》を叩《たたき》て臭名《しゅうめい》を流せる者、其心寧《むし》ろ憐れむべき也、方今の世阿堵《あと》なくして能く何事を為し得んや。

文学の如き亦《また》然り、日夕《にっせき》奔走に衣食する者、豈《あ》に不朽の文学を為し得んや、泰西の文人は世界を読者とす、僅《わずか》に一両冊の傑作を出《いだ》せば、忽ち数万部の需要あり、以て畢生糊口《ひっせいここう》の資を得、悠々《ゆうゆう》任意の文を作る、彼等皆な大抵恒産《こうさん》を有せざるなし。

支那の文人詩家、唯だ杜甫《とほ》のみ真に困窮せり、彼七《かのしち》歌の如き、人をして酸鼻《さんび》せしむ、然れども其他甚だ苦しめる者なし、彼の窮を愬《うった》ふること彼が如きの韓愈《かんゆ》すらも、猶《な》ほ妾《しょう》を蓄《たくわ》ふるの余裕を有せしにあらずや、彼の饑を云ふ彼が如きの陶潜《とうせん》すらも、又帰来《きらい》童僕《どうぼく》の門に候して田園の耕耘《こううん》すべきありしに非ずや、彼等金銭に駆《か》られ、衣食を支《ささ》へんが為めに文を作らず、故に能く雄篇大作を出せる也、今や我小島国《しょうとうこく》の限りある読者に対して、其日暮しの生計を立つ、能く何事をか為し得んや。

丈夫《じょうぶ》生れて天下の権を取り、以て其志《こころざし》を行ふ、真に快心の事、然《しか》らずんば即ち退いて水を飲み書を著《あらわ》さんのみ、而して今や両《ふた》つながら難し、嗚呼黄白《ああこうはく》なる哉《かな》と。

二十六年より、二十七、八年に至る間、先生北海道より東京に、東京より大阪に、往復頻《しき》りにして、而して家益〻貧に、衣服典《てん》し尽《つく》し、蔵書売り尽して、晏如《あんじょ》たり、曽《かつ》て笑つて曰く、大饑饉なる哉、朝暮《ちょうぼ》唯だ豆腐の滓《かす》と野菜のみ、何ぞ惨《さん》なるや、汝等姑《なんじらしば》らく待て、予の陶朱翁《とうしゅおう》たる近きに在り、予にして十余万金を得ば、新聞起すべし、政界に縦横すべし、汝を携へて欧米に遊ぶべし、而して大著作を為すべしと。

而して先生の一たび牙籌《がちゅう》を取るや、酒を廃し、行《こう》を慎《つつし》み、殆《ほとん》ど別人の如し、後《の》ち死に至るまで、曽て一杯を口にせざりき。

二十六年の夏なりと記す、先生関西より還《かえ》る、京都停車場に一貴人あり、多数の従者病《やまい》を扶《たす》けて車に上《のぼ》る、近づきて之を見れば、故陸奥宗光君也、先生曰く、陸奥さんに非ずや、陸奥君曰く、中江君かと、先生撫然《ぶぜん》として曰く、第一議会以後閣下を見ざる僅かに三年、何ぞ其衰《おとろ》へたるや、容貌殆ど現世《げんせい》の人に非ず、予は是れ閣下なるを思はざりきと、陸奥君曰く、足下《そっか》は之に反して極めて肥満せるに非ずやと、深く其健康を羨《うらや》むもの丶如し、先生、彼れの死期の遠からざるを見て同情の念に堪へず、懇《ねんご》ろに之を慰藉《いしゃ》して談ずること少時、陸奥君先生の酒を禁ずることを聞き賞賛して已《や》まず、自家の病漸《やまいようや》く重きを嘆じ、頻《しき》に摂養の忽《ゆる》かせにす可《べか》らざるを説けりと云ふ、誰か知らん陸奥君を弔《ちょう》せるの先生、又《また》十年ならずして他の為めに弔せらる丶の人とならんとは。

此時先生語を転じて曰く、閣下、光妙寺《こうみょうじ》を如何せんとするか、乞ふ速《すみや》かに図る所あれと、故光妙寺三郎君晩年極めて落魄《らくはく》せるが為め也、陸奥君曰く、彼れ甚だ政府部内の忌《い》む所たるが故に、事頗《すこぶ》る難し、而《しか》も早晩処するの途《みち》あるべし、先生曰く、彼は予の如く赤切符《あかきっぷ》の生活に堪《たゆ》る能はざる也、乞ふ速《すみやか》に之を図《はか》れ、陸奥君曰く、足下《そっか》は赤切符なりや、先生即ち下等切符を出して曰く、如此《かくのごと》し、予は滊車、汽船両《ふた》つながら中等以上の室に乗りしことなしと、両人相見て大笑す、陸奥君の従者亦《また》一斉に微笑して先生を諦視《ていし》せり、先生は生平《せいへい》常に赤切符の生活に甘んじたりし也、彼れ奇を衒《てら》ふに非ず実に貧なりしが故也。

而して先生の事業は、日清戦役の後会社熱勃興《ぼっこう》の時に方《あた》り、毛武《もうぶ》鉄道の株券騰貴の為めに少しく利するありしのみ、其他河越《かえつ》鉄道と云ひ、常野《じょうや》鉄道と云ひ、京都パノラマと云ひ、遊廓設置と云ひ、中央清潔会社と云ひ、某々山林払下《はらいさげ》と云ひ、皆な損失に了《おわ》らざるはなし、偶《たま》ま其事業の成立したる者ありしも、其収益は先生の手に入らざりき、其「一年有半《いちねんゆうはん》」中に、贏利《えいり》は則《すなわ》ち他人之を取り、損失は則ち余之に任じ、其末や裁判、弁護士、執達吏《しったつり》、公売等続々生起《ぞくぞくせいき》し来りて後ち已《や》むと言へる者、信《しん》也。

後年黒岩涙香君《くろいわるいこう》(19)、「万朝報《よろずちょうほう》」紙上に「一年有半」を評するや、先生之を読《よん》で予に寄するの書を作る、偶《たま》ま予の至るを見て半ばにして筆を投ぜり、其書に曰く、

黒岩氏之批評は、近来になく面白く相読み申《もうしそうろう》候、推奨之処《すいしょうのところ》は敢て不当に論なきも、小生を操守ある理想家と看破し呉れたるは、茫々天下《ほうほうてんか》、唯《ただ》涙香君一人、僕《ぼく》真に愉快を感じ申候、抑《そもそ》も僕の東洋策にも理想有り、経済策にも理想有り、娼楼《しょうろう》にも理想有り、営利業にも理想有り、即ち毛武鉄道の権利株が十余円したる節も、発起人丈《だ》けは売らずに仮株券となる迄、持つ可きものと主張して、遂に自身のみならず、発起人一同へ損をさせたる抔《など》、世人《せじん》は定めて愚を笑はん、僕は左《さ》なくては株式会社は立ち行くべきものに非ずと考へ、今に考へ居れり、迂闊《うかつ》に迄理想を

守ること、是《これ》小生が自慢の処《ところ》に御座候、然《しか》るに誰も此処を覷破《しょは》し呉れず、夫れ奇才の、夫れ学者のと、予何《なん》の人に出《いず》る才あらん、唯自慢する所は理想の一点のみ。然り、先生は遂に其理想を棄《す》つる能はざるが為めに敗れたりき、政治家として然り、文士として然り、実業者として殊に然り、而も紛々《ふんぷん》たる今の実業者中、「左《さ》なくては株式会社は立ち行くべきものに非ず」(20)の一句を読《よん》で、愧死《きし》せざる者果して幾人か有る。

先生の曽て群馬に娼楼を設けんとするや、予其先生の徳を累《るい》せんことを言ふ、先生即ち現下の社会に公娼の必要なる所以《ゆえん》を論ずる、滔々《とうとう》数千言、且つ曰く、公娼既に必要たり、之を営む、何の不可かあらん、職業は一切《いっさい》平等也、何の貴賤か之れ有らん、予は既に商人たり、詐偽《さぎ》と盗賊を除くの外は、為《な》さゞるなけん、但だ彼の議員政治家の如きは、是れ公務也、一個営利の業に非ず、而も彼等が其職を利用して以て金銭を摑《つか》むが如きは、是れ直ちに詐偽盗賊のみ、是れ予の餓死すと雖も為さゞる所也、予は今や議員政治家に非ずして、一個の商人也、商人の金儲けは、予の主義理想に累するなし、汝安《やす》んぜよと。

先生は真に商人たらんとする者なりき、詐偽《さぎ》と盗賊を除くの外は、為《な》さゞるなきを希《ねが》ひたりき、然れども思へ、今の商人中、幾何《いくばく》か詐偽と盗賊たらざる者有る乎《か》、今の経済社会に立つて、詐偽と盗賊を為さずして能く成功し得るの途《と》ある乎、正実《せいじつ》の商人を以て、投機師の社会に入るは、猶ほ馴羊《じゅんよう》を以て豺狼《さいろう》の群《むれ》に投ずるが如し、宜《うべ》なり、先生の連戦連敗せることや。

如此《かくのごとく》にして先生が実業家として十年の苦闘、贏《あま》す所は一《いつ》の失敗のみ、宿昔青雲《しゅくせきせいうん》の志《こころざし》空《むな》しく蹉跎《さだ》して、鬢上《びんじょう》忽《たちま》ち斑々《はんぱん》の霜に驚く、首《こうべ》を挙げて前途を望む、転《うた》た日暮れ途《みち》遠きを嘆ぜずんばあらず、慨然《がいぜん》として殆ど倒行逆施《とうこうぎゃくし》に甘んぜんとするの意あり。

此時に方《あた》つてや、民間の政党全く当年の気節なく、一に藩閥の駆使に供して官職利《り》禄《ろく》を求むるに汲々《きゅうきゅう》とし、腐敗日を逐《おう》て甚しく、第十議会、松隈《しょうわい》内閣の買収政策を行ふに至りて、其醜を極めたり、次で伊藤内閣立つや、自由党又《また》提携に托して其奴僕《ぬぼく》たらんとするの状あり、先生憤慨措《お》く能《あた》はず、再び起《たち》て政界掃清の事に任ぜんとし、数名の同志を率ゐて、国民党を組織し、雑誌「百零一《ひゃくれいいち》」を発行して、以て在野党聯合の急を説き、藩閥の討滅すべきを唱ふ、而も其金銭に乏しきが故に、自由の運動を為すこと能はず、数月ならずして潰散《かいさん》せり、時に明治三十一年なりき。

爾来《じらい》先生貧《ひん》益〻甚し、明治卅三年(21)秋、「毎夕新聞」の乞《こい》に応じて、其主筆となり、僅《わずか》に米塩《べいえん》を支ふ、次で国民同盟会成るや、進んで之に投じ、奔走頗《すこぶ》る力《つと》む。

先生の国民同盟会に入れるは、其志実に伊藤博文の率ゆる所の政友会を打破して、我政界の一大革新を成すに在りき、予当時問ふて曰く、国民同盟会は蓋《けだ》し露国を討伐するを目的となす者、所謂帝国主義の団体也、先生の之に与《くみ》する、自由平等の大義に戻《もと》る所なき乎《か》と、先生笑つて曰く、露国と戦はんと欲す、勝てば即ち大陸に雄張して、以て東洋の平和を支持すべし、敗るれば即ち朝野困迫《ちょうやこんぱく》して国民初めて其迷夢《めいむ》より醒《さ》む可し、能く此機に乗ぜば、以て藩閥を勦滅《そうめつ》し内政を革新することを得ん、亦《また》可ならずやと。

後予は屢〻《しばしば》同会の為す有るに足らざるを言ふも、先生敢て聴かざりき、蓋し先生久しく髀肉《ひにく》の生ずるに堪へず、直情一往又《いちおうまた》成敗を論ずるに遑《いとま》なかりし也。

越《こえ》て数月、先生別に営利の事に関し、某々の為めに誘はれて大阪に赴《おもむ》き、病を得て卒《つい》に起たず。

第五章　文　士

先生の一たび椽大《てんだい》の筆を揮《ふる》ふて風雲を叱咤《しった》するの処、殆ど匹夫《ひっぷ》にして百世《ひゃくせい》の師となり一言にして天下の法となるの概有り、文士としての先生は、真に明治の当代の第一人なりき、夫《そ》れ先生の才や天才也、其《その》文や神品《しんぴん》也、固《もとより》に庸衆勉強《ようしゅうべんきょう》の力の希《ねが》ふ可《べ》きに非ずと雖《いえど》も、而も別に其学術の素養根底の深き有るに非ずんば、曷《いずく》んぞ能く如此《かくのごと》くなるを得んや。

先生の幼にして経史《けいし》を読み詩文を善くせるは前《さき》に既に之を言へり、後《の》ち仏蘭西《フランス》の書を学ぶの間、常に漢学を修むるを休《や》めず、作る所の漢詩数百首ありき、其箕作先生の塾に在るや、哲学の訳語を討査《とうさ》せんが為めに仏典を講ずるの意有り、而して其健康の堪へざらんことを虞《おそ》れ、一日突如石黒忠悳《いしぐろただのり》翁を訪ふて診を乞ふ、翁一見して其蓬頭垢《ほうとうこう》衣《い》の状に驚き、其来意を聞きて深く之に感じ、大に奨励する所あり、先生喜び、麦酒《ビール》三罎《びん》を贈り、診察料に代へて去れり、後数年ならずして中江篤介《なかえとくすけ》の名大に揚《あが》る、翁手を拍《うち》て曰く、之れ有る哉と、去年先生の堺より還るや、翁其病床を問ひ、談じて三十年前の事に及び、両人相看《あいみ》て哄笑す、当時伝へて一佳話《いちかわ》となせり、而して此一事以て、如何に先生が夙《つと》に思ひを文辞《ぶんじ》に労せしかを知るに足るべき也。

然れども先生の文章大に進めるは、其欧洲より帰る後、故岡松甕谷《おかまつおうこく》(22)先生の塾に学べるの時に在るが如し、先生一日街頭を散策し古本店に於て和漢対訳の一冊子を見る、其訳文縦横自在にして絶《たえ》て硬渋《こうじゅう》の処なし、先生深く之を喜び、嘆じて曰く、老手《ろうしゅ》如此《かくのごとき》の人ある耶《か》と、著者の名を検すれば岡松先生也、乃《すなわ》ち仏学塾に在《あり》て子弟を教育するの余暇を以て、贄《し》を岡松先生に執り、学ぶ者数年なりしと云ふ。

岡松先生「訳常山紀談《やくじょうざんきだん》」に題するの文あり、中に曰く、「自余入都、有諸生請受業者、必先授以記実法、従文簡先生遺教也、中江子篤見之喜曰、循子之法、雖東西言語不同、未有不可写以漢文者也、遂与二三子謀、取常山紀談、相伝訳之、余亦極力删定、已成、彙為十巻、以便後進之士、相継及門者取則焉」〔余《よ》都《みやこ》に入《いり》て自《よ》り、諸生《しょせい》の業《ぎょう》を受《う》くるを請《こ》ふ者有《ものあ》り、必《かなら》ず先《ま》ず以《もっ》て記実《きじつ》の法《ほう》を授《さず》く、文簡先生《ぶんかんせんせい》の遺教《いきょう》に従《したが》へる也《なり》、中江子《なかえし》篤《あつ》く之《これ》を見《み》て喜《よろこ》びて曰《いわ》く、子《し》に循《したが》ふの法《ほう》、東西言語《とうざいげんご》同《おな》じからずと雖《いえど》も、未《いま》だ漢文《かんぶん》を以《もっ》て写《うつ》す可《べか》らざる者《もの》有《あ》る也《なり》、遂《つい》に二三子《にさんし》と謀《はか》りて、常山紀談《じょうざんきだん》を取《と》り、相《あ》い伝《つた》へて之《これ》を訳《やく》す、余《よ》亦極力删定《またきょくりょくさんてい》し、已《すで》にして成《な》る、彙《あつ》めて十巻《じっかん》と為《な》し、以《もっ》て後進之士《こうしんのし》に便《べん》す、相《あ》い継《つ》いで門《もん》に及《およ》ぶ者則《もののり》として取《と》る焉」、先生実に岡松先生の教《おしえ》に従ふて、叙事の文を重んじたりき、常に曰く、文を学ぶ者須《すべか》らく先づ叙事を学ぶ可し、能く叙事に長ぜば、往《ゆ》くとして可ならざる無けんと。

「訳常山紀談」十巻、尨然《ぼうぜん》たる大冊《たいさつ》、実に当時先生及び同門諸君の刻苦勉強の迹《あと》を見るに足る者あり、後ち先生久しく之を公行《こうこう》するの意あり、曽て曰く、岡松先生は活《かっ》刷《さつ》を好まざりき、故に先師の遺志に従はんとせば、必ず木版に附せざる可《べか》らずと、而して其巨額の資を要するを以て貧にして果さず、常に以て憾《うらみ》とせり、去年先生死する前、其の写本を篋底《きょうてい》に取り、予を呼《よん》で曰く、是れ文学の至宝也、今汝に授《さず》く、我死後《わがしご》切に愛護して、之を見る猶《な》ほ我を見るが如くせよと、此書現に予謹《つつしん》で之を保管す、他日幸《さいわ》ひに公行して以て先生の志に酬《むく》ゆるの機を得ば、予の願ひ足れり。

先生「一年有半」に於て、岡松先生の文を評して曰く「其材を取る極めて宏博《こうはく》にして、即ち三代秦漢《さんだいしんかん》より下明清《しもみんしん》に及び、旁《かたわ》ら稗官野史《はいかんやし》、方技《ほうぎ》の書に至る迄、時に応じ意に任せ、駆使して遺《のこ》さず、而して其紙に著はるゝ所、所謂字々軒昂《じじけんこう》して、而かも且つ妥貼《だちょう》を失はず」と、此語《このご》直ちに移して以て夫子《ふうし》の文を評す可し、先生の学和漢洋を該《か》ね、諸子百家窺《うかが》はざるなく、手に任せて駆使するの所、人をして驚嘆せしむる者あり。

而して先生の文、独り其字々軒昂《けんこう》せるのみならず、飄逸奇突《ひょういつきとつ》、常に一種の異彩を放つて、尋常に異なる者、予は其多く仏典語録の類《たぐい》に得る所ありしを信ず、先生平生禅を好み、多く交《まじわり》を方外《ほうがい》に結び、且つ博く仏典語録を渉猟《しょうりょう》し、頗《すこぶ》る悟入する有るが如く、「碧巌集《へきがんしゅう》」の如きは、其最も愛読する所なりき、人若《も》し先生の新聞雑誌等に掲げし文字を仔細に玩味《がんみ》せば、必ず予の言の虚ならざるを知らん。

先生の翰《かん》を運《めぐ》らすや飛ぶが如く、多く改竄《かいざん》する所なし、其新聞雑誌に掲ぐる者の如きは、一気呵成《いっきかせい》曽て一回の複誦《ふくしょう》するなく、筆を投じて直ちに植字工の手に附せり、然れども、是れ決して其文に忠実ならざるが為めに非ず、又其苦辛《くしん》を経ざるが為にも非ずして、唯だ其筆の健なるが為めに然るのみ、故に咄嗟《とっさ》の作と雖も、曽て文字の妥《だ》貼《ちょう》を失せる無し、但《た》だ訳書及び碑銘其他の金石《きんせき》文字に至りては、数回の删正《さんせい》を経ること有り、「理学鉤玄《りがくこうげん》」の文の如きは、頗《すこぶ》る推敲を費せりと云ふ。

先生漢文に於て、深く自ら任ずる所あり、曰く、邦人の漢文、支那人をして之を読ましめば、恐らくは解する能はざる者多し、能く真正の漢文を作る者、岡松先生没後幾人か有るやと、曽て自ら「唐宋八大家文《とうそうはちだいかぶん》」を取り、一々批点《ひてん》を附し評語を加ふ、曰く、予の批評や、山陽の「謝選拾遺《しゃせんしゅうい》」に優ること万々也《ばんばんなり》と、此書今果して誰《たれ》氏の許《もと》に在るやを知らず、而して先生作る所の漢文、僅かに竹井《たけい》駒郎《こまお》、宮城《みやぎ》浩蔵《こうぞう》、植木《うえき》枝盛《えもり》の諸君の墓碑に存するのみ、其他の文稿皆な散逸《さんいつ》せるは、惜むに堪へたりと謂《い》ふ可《べ》し。

予の始めて先生の大阪曽根崎の寓に寄食せるの時は、先生の洋書は其大半を売り、残す所甚だ多からざりしも、漢籍は猶ほ数百巻を蔵せり、先生文を艸《そう》するは大抵朝《ちょう》餐《さん》後一、二時の間に於てし、昼間は運動、奔走、接客、飲酒に消し毎夜二時頃より夢醒めて読書し、暁《あかつき》に達するを例とせり。

先生の読書を好む渇《かつ》するが如し、後年身を商界に投じて窮困し、尽《ことごと》く其蔵書を売尽すや、常に落寞《らくばく》に堪へざる者の如く、其自宅に在《あり》て近時の小説講談の類《たぐい》と雖も、苟《いやしく》も印刷物の目に触るゝ有れば、即ち欣然《きんぜん》として読むを楽《たのし》めり、而も其文を作るや、興来《きょうきた》らざれば筆を下《くだ》すこと少し、曰く、読書の禁じ難きは猶《な》ほ喫烟《きつえん》の禁じ難きが如し、然れども金銭の為めに文を作る、之より痛苦なるは莫《な》し、予は筆を援《と》るよりも寧《むし》ろ鍬《くわ》を手にするを好むと。

先生古今に於て最も「史記」を推す、曰く、「史記」の文、甚だ格法《かくほう》に拘々《こうこう》たらず、神気《しんき》一往《いちおう》、其行く可き処に行き、止まる可き処に止まる、雄渾蒼勁《ゆうこんそうけい》、真に天下の至文《しぶん》也と、而して先生亦自ら之を以て期せるが如し。

先生予等に誨《おし》へて曰く、日本の文字は漢字に非ずや、日本の文学は漢文崩しに非ずや、漢字を用ゆるの法を解せずして、能く文を作ることを得んや、真に文に長ぜんとする者、多く漢文を読まざる可からず、且つ世間洋書を訳する者、適当の熟語なきに苦しみ、妄《みだ》りに疎率《そそつ》の文字を製して紙上に相踵《あいつ》ぐ、拙悪見るに堪へざるのみならず、実に読《よ》で解するを得ざらしむ、是れ実は適当の熟語なきに非ずして、彼等の素養足らざるに坐するのみ、思はざる可けんやと。

又曰く、漢文の簡潔にして気力ある、其妙世界に冠絶《かんぜつ》す、泰西の文は丁寧反覆毫髪《ていねいはんぷくごうはつ》を遺《のこ》さゞらんとす、故に漢文に熟する者より之を見る、往々冗漫《おうおうじょうまん》に失して厭気《えんき》を生じ易し、ルーソーの「エミール」の妙を以てするも、猶《な》ほ予をして之を訳せしめば、其紙数三分の二に減ずるを得ん、但《た》だ東西の文各〻其長所《おのおのそのちょうしょ》を有す、彼《か》のウオルテールの「シヤル、十二世」の如きは、文気《ぶんき》殆《ほと》ど漢文を凌駕《りょうが》す、ユーゴーの諸作の如き、亦《また》実に神品《しんぴん》の文也、而も之が真趣味は、唯だ原文に就て始めて解するを得べくして、決して尋常訳述の能く写し得る所に非ざるや論なし、我れ曽て仏訳の「パラダイスロスト」を読みて深く其妙を感ぜるも、未だ其心に飽《あ》かざる者あり、謂《おもえ》らく若し原文に就て之を読まば其快幾何《いくばく》ぞやと、故を以て多く学術理義の書を訳せるも、曽て文学の書を訳せることなし、凡《およ》そ文学の書を訳する、原著者以上の筆力有るに非ずんば、徒《いたず》らに其妙趣を戕残《しょうざん》するに了《おわ》らんのみと。

而も先生は決して漢文を以て満足する者に非ざりき、曰く、学士書を著《あらわ》す、宜しく読者を世界に求む可きのみ、区々《くく》小嶋国中《しょうとうこくちゅう》の人民と議論を上下す、能く何の為《な》す所ぞと、是を以て先生の仏蘭西に在るや、専心欧文を作ることを学び、其仏訳する所の「孟子」、「外史」、「文章軌範」の類尨然大冊《たぐいぼうぜんたいさつ》を成せりと云ふ、乃《すなわ》ち予に謂《いい》て曰く、我仏蘭西の書を教ゆるの子弟幾千人、而して名を成す者尠《すくな》し、蓋し、仏蘭西学の我国に於ける需用《じゅよう》の甚だ多からざるが為め也、英語は独り我国に於けるのみならず、広く世界に行はる、汝先づ英書を講じ、英文を作るを習へ、庶幾《こいねがわ》くば以て世界の人たるを得んと。

先生、日に予に課するに漢籍を以てし、別に師に就て英書を読ましめ、且つ多く文を作るを命ぜり、毎《つね》に曰く、昔者東坡《せきしゃとうば》極力孟子《きょくりょくもうし》の文を学び、而して孟子以外に別に一家《いっか》を為すに至つて、始めて不朽なるを得たり、文士の苦心は実に前人以外に新機軸を出すの処に存す、汝の文、予の文を学び、予の文に似たるの間は、遂に予以上に出る能はざるを知らざる可らずと、嗚呼《ああ》何ぞ其懇篤《こんとく》なるや、而も予の魯鈍《ろどん》、学業今に於て遅々《ちち》として成らず、何《いずれ》の日か能く先師の望みに副《そ》ふことを得ん。
先生初め政府の嘱《しょく》に応じて訳する所政法の書甚多し、而も尽く《ことごと》公行するに至らず、今其訳書、著書の発售《はつしゅう》せる者、予の記する所に依れば、左の数種あり。

「ショーペンホウエル道徳大原論」
「維氏美学《いしびがく》」
「ルーソー民約」
「理学沿革史」
「理学鉤玄」
「革命前仏蘭西二世記事」
「三酔人経綸問答」
「平民の目ざまし」
「憂世慨言《ゆうせいがいげん》」
「選挙人の目ざまし」
「四民《しみん》の目ざまし」
「一年有半」

「続一年有半」

「道徳大原論」、「維氏美学」、「理学沿革史」は文部省の嘱《しょく》に応じて訳せる者、「ルーソー民約」は仏学塾より発行せり、其文皆な極めて自在、恰《あたか》も直ちに自家胸臆《じかきょうおく》を将《もっ》て披瀝《ひれき》するが如く、絶て斧鑿《ふさく》の痕《あと》を存するなきは人をして嘆服《たんぷく》措《お》かざらしむる者有り。

「革命前仏蘭西二世記事」、此書や先生の得意の筆を以て得意の事を述ぶ、蒼勁跌宕《そうけいてっとう》、直《ただち》に「史記」の塁《るい》を摩《ま》せんと欲す、先生叙事の妙、実に此篇に就て看《み》る可し。

「三酔人経綸問答」、旧集成社《しゅうせいしゃ》より発售《はっしゅう》す、先生自ら評して曰く、是れ一時遊戯の作、未だ甚《はなは》だ稚気《ちき》を脱せず、看《み》るに足らずと、然《しか》れども予を以て之を見れば、其縦横に揮《き》洒《さい》し去りて、多く意を経ざるの所、却って先生の天才を発露し得て余《あまり》有り、而して先生の人物、思想、本領を併せ得て、十二分に活躍せしむる、蓋《けだ》し此書に如《し》くは無し、若《も》し夫《そ》れ寸鉄殺人の警句、冷罵《れいば》入骨《にゅうこつ》の妙語、紙上に相踵《あいつ》ぐ、殆ど人目《じんもく》を眩《げん》せしむ。

平民の目ざまし、自由党隆盛の時に方《あた》り、平易の文学を以て、自由民権を鼓吹《こすい》する者、麹町磯部屋《こうじまちいそべや》の出版に係《かか》る、眇《びょう》たる小冊子なりと雖も、其感化する所の大なる、遥《はるか》に他の諸書に勝《まさ》れりき、凡《およ》そ先生の著訳中、「一年有半」、「続一年有半」を除き、其発売部数、此書尤《もっと》も多かりしと云ふ。

「選挙人の目ざまし」、明治二十三年初めて総選挙を行ふの前、執筆する所にして、実に先生が健康時に於ける最後の著作也、代議制の本義と其利弊《りへい》の在る所を説きて、主として候補者の言質《げんしつ》を納《い》れしむるの要を論ぜりと記憶す、其極めて真面目の事を述ぶるに、極めて飄逸《ひょういつ》の文を以てす、全篇所謂《いわゆる》奇趣の横生《おうせい》するを見る、此書金港堂《きんこうどう》より発售《はっしゅう》せり、若し再刊を得ば、現時の議員及び選挙民を啓発提醒《けいはつていせい》するに於て、其功尠《すく》なからざる可し。

「憂世慨言」は大阪に於て、「四民の目ざまし」は東京に於て、倶《とも》に某々書肆をして「東雲新聞」の随筆を編集せしめて酒資と為《な》す者、近時別に「警世放言」と題する者、某書肆より出づ、此書亦当時の新聞紙より蒐輯《しゅうしゅう》せる者なりと云ふ。

「理学鉤玄」、近時「続一年有半」の附録として再刊せる者世人の熟睹《じゅくと》せる所也。

先生の著訳は、其議論文章倶《とも》に当代に冠絶《かんぜつ》せしに拘《かかわ》らず、其発売部数は毎《つね》に甚だ多からざりき、而して「一年有半」の出るに及んで頓《とみ》に洛陽《らくよう》の紙価をして高からしめたり、徳富蘇峰《とくとみそほう》君「一年有半」を評して曰く、吾人は明治の社会が、著者に対して、決して薄恩ならざるを信ずと、而も其読者社会を震動すること能く彼が如くなりし者、唯《た》だ其絶筆てふ事其事の深く社会の好奇心を惹起《じゃっき》し得たるに依《より》て然るを思はゞ、予は未だ其薄恩ならざる所以《ゆえん》を解する能はざる也、然れども其薄恩と薄恩ならざると、先生に於て何か有らん哉《や》。

先生は固《もと》より是等の著書の称せられざるを分《ぶん》とせり、曰く、我が従来作る所、大抵古人の糟粕《そうはく》に過ぎずして、曽て独創有るなし、我れ深く之を恥づ、然れども人生限り有り、真個《しんこ》雄篇大作なる者、豈《あ》に多々《たた》あることを得んや、但だ古人以外に新機軸を出すもの、此《ここ》に一あれば即ち不朽なるに足る、我れ之を他日に期せんと。

而して先生の所謂他日に期する者は、即ち其哲学の組織に在りき、而も貧乏は之を許さゞりき、健康は之を許さざりき、時間は之を許さゞりき、其五年十年の歳月を費《ついや》し、千万巻の図書に資して組織せんとするの哲学は、僅かに「無神無霊魂」の一篇に其鱗片《りんぺん》を現せるのみ、悲しからずや。

先生又《また》書画を善くす、書は羲之《ぎし》、顔真卿《がんしんけい》等を学びて別に一家の妙を具す、画は「芥《かい》子園画譜《しえんがふ》」を学び、尤も脱俗の趣有り。

第六章　人　物

想ふ、二十六年の夏、先生既に酒を禁ず、毎夜晩餐《ばんさん》の後、家人と椽側《えんがわ》に踞《きょ》して、古今を論じ風月を談じ或《あるい》は庭中に歩《ほ》して涼《りょう》を納《い》れ、常に午後九時十時の候に至るを例とせり。

先生平生夜色《やしょく》を愛す、曰く、夜は雅《が》にして昼は俗《ぞく》也、月は雅にして日は俗也、凡《およ》そ陰は雅にして陽は俗也、子の生《うま》れたる時より俗なるは莫《な》く、人の死したる時より雅なるは莫し、予は多年思ふ、昼は一家皆な睡臥《すいが》して、黄昏《たそがれ》に至つて初めて起き、三度の飲食は之を夜中に於てし、或は散歩し、或は閒談《かんだん》して、以て二、三旬《じゅん》を経《へ》、妙文を作つて之を記《しる》せば、興趣極めて多からんと、先生は実に多感多恨の詩人なりき。

一夜月明《げつめい》に乗じて庭園を歩す、樹林蓊鬱《じゅりんおううつ》として黒く、池水瀲灎《ちすいれんえん》として白し、先生俯《ふ》仰《ぎょう》する者久しくして、予を顧《かえり》みて曰く、我れ此景《このけい》に対する毎《たび》に、杜甫の「四更山吐月、残夜水明楼」（四更《しこう》山月《やまつき》を吐《は》き、残夜《ざんや》水明《すいめい》の楼《ろう》）の句を想起せざることなし、絶唱なる哉と。

先生の詩を論ずるや必ず杜甫を説き、酔へば常に「出師未捷身先死、長使英雄涙沾襟」（出師《すいし》未《いま》だ捷《か》たざるに身《み》先《ま》ず死《し》す、長《とこしな》えに英雄《えいゆう》をして涙《なみだ》に襟《えり》を沾《うるおさ》しむ）の句を吟ぜり、李白《りはく》に至りては即ち曰く、彼や真に千古の一人也、而も少陵《しょうりょう》の真気《しんき》惻々《そくそく》人を動かすが如くならず、少陵は慷慨《こうがい》の忠臣也、太白《たいはく》は無類の酔漢のみと。

先生の杜詩を愛するは、独り其詩を愛するのみならず、実に其人物の高きに拳々《けんけん》たりしが故也、而して其人物に拳々たりし所以の者は、実に夫子《ふうし》自ら第二の少陵たりしが故ならずんばあらず。

先生の飄逸放縦《ひょういつほうしょう》、酒を被《あお》り世を罵《ののし》るや、皮相より之を見る、頗る太白の遺風あるに似たり、然れども其一生を通して凛乎《りんこ》たる操守あり、血性《けっせい》あり、慷慨《こうがい》の節あるは、宛《えん》然《ぜん》として少陵其人たりし也、而して其文や亦《また》仔細に之を見る、冷嘲冷罵《れいちょうれいば》の間、自ら至誠至忠の痛涙《つうるい》を蔵して蒼涼沈鬱《そうりょうちんうつ》、人を泣かしむる者、宛然として散文的杜詩に非ずや、而して其身世《そのしんせい》亦《また》轗軻《かんか》潦倒《りょうとう》、宛然として明治の少陵其人に非ずや。

然り先生は、太白に非ずして少陵なりき、司馬徽《しばき》に非ずして諸葛亮《しょかつりょう》なりき、本多佐《ほんださ》渡《ど》に非ずして、真田幸村《さなだゆきむら》なりき。

予曽て曰く、仏国革命は千古の偉業也、然れども予は其惨《さん》に堪《た》へざる也と、先生曰く、然り予は革命党也、然れども当時予をして路易《ルイ》十六世王の絞頸台上《こうけいだいじょう》に登るを見せしめば、予は必ず走つて劊手《かいしゅ》を撞倒《どうとう》し、王を抱擁《ほうよう》して遁《のが》れしならんと、此一語以て如何に先生の多血多感、忍ぶ能はざるの人なりしかを知るに足る可し。

然れども先生の敗るゝ、又《また》実に之が為めなりき、先生の多血多感なる、直情径行を喜びて、迂余曲折を悪《にく》む事甚し、義理明白を喜びて曖昧模稜《あいまいもりょう》を悪む事甚し、果決《かけつ》を喜びて因循《いんじゅん》を悪み、簡易を喜びて繁縟《はんじょく》を悪み、澹泊《たんぱく》を喜びて執拗を悪み、直言忌《い》むなく、敢為《かんい》憚《はばか》るなく、直ちに其理想を現実せんが為めに、社会を敵として激闘す、而して革命家に敗れ、政事家に敗れ、商人に敗れ、文壇も亦《ま》た先生を容るゝの余地なきに至れり。

而して先生亦自ら其《その》処世に拙《せつ》なる所以《ゆえん》を知れり、酒間《しゅかん》笑つて予に謂《いい》て曰く、今朝来訪せし所の高利貸を見よ、彼れの因循《いんじゅん》にして不得要領なる、人をして煩悶に堪へざらしむ、然れども彼れ甚だ富めり、処世の秘訣は朦朧《もうろう》たるに在り、汝義理明白に過ぐ、宜しく春靄《しゅんあい》の二字を以て雅号と為せと、予曰く、生甚《はなは》だ朦朧を憎む、乞ふ別に選《えら》む所あれ、先生益〻笑ふて曰く、然らば秋水《しゅうすい》の二字を用ゐよ、是れ正《まさ》に春靄の意と相反す、予壮時《そうじ》此号を用ゆ、今汝に与へんと、予喜んで賜《たまもの》を拝せり、屈指すれば匆々《そうそう》十余年、真に隔世《かくせい》の感有り。

嗚呼先生は、多感の人のみ、多血の人のみ、仙人に非ず、畸人《きじん》に非ず、狂人に非《あら》ざりき、徳富蘇峰君、「一年有半」を評するの文に又曰く、約言すれば、著者(先生を謂ふ)は著書よりも、品格に於て高く、人物に於て愛好す可きものあり、著者は真面《まじ》目《め》の人也、常識の人也、夫として其妻に真実に、父として其子に慈愛に、友として其交《まじわ》る所に忠なるの人也、但だ皮下《ひか》余りに血熱《ねっ》し、眼底《がんてい》余りに涙多く、腹黒きが如くにして、極めて初心、面皮《めんぴ》硬《かた》きに似て頗る薄く、自ら濁世《だくせい》の風波《ふうは》に触るゝに堪へざるの身を以て、強《しい》て之を凌《しの》がんと欲して克《あた》はず、為めに時に酒を仮《か》り、時に奇言奇行を藉《か》り、以て其自ら世と容れざる悶《もん》を排せんと試みたるのみ、而して世人往々仮《か》を以て真と為し、真に君を奇人視するに到る、是れ豈《あ》に君の知己《ちき》なりと謂《い》はん哉《や》と、蓋し知言《ちげん》也《なり》。

然り先生の時に酒を仮り、時に奇言奇行を仮りて悶を排するや、如此《かくのごと》きものあり、但だ酒や酔醒《すいせい》あり、身漸《よう》く老い、気稍《や》や衰ふに至つて、更に自然の愛す可きを知る、謂《いえ》らく、故《こと》らに酔を成さんと願ふ、是れ齢《とし》を促《せま》るの具にして、強《しい》て功を成さんと競ふ、唯だ生を傷《いた》ましむるに過ぎずと、而して酒を禁じ、行《こう》を慎《つつし》み、一《いっ》に自然と家庭と道義に向つて楽地《らくち》を求めたり、故に見よ、先生の晩年其身を持するや、命《めい》に安んじ貧を楽《たのし》み、流離敗残《りゅうりはいざん》の余に処して、曽て天を恨みず、人を尤《とが》めず、悠然晏然《ゆうぜんあんぜん》として栄辱《えいじょく》の外に自適し、死生の表に達観せることを。

蓋《けだ》し古人言へり、「節義青雲に傲《おご》り、文章白雪より高きも、若し徳性を以て之を淘《とう》溶《よう》せずんば、徒《いたずら》に血気の私、技能の末たらんのみ」と、先生は爾《しか》く多感多血《たかんたけつ》なりしと雖《いえど》も、而も徒《いたず》らに血気の私、技能の末に齷齪《あくせく》たる者に非ざりき、彼れ其れ実に徳性を以て自ら之を淘溶し、以て其真を保ち其道を全くするを得たりし也。

先生「一年有半」の稿を起すの前、予其自伝を著《あらわ》さんことを勧む、先生哂《わら》つて曰く、我れ一寒儒《いちかんじゅ》の生涯、何の事功《じこう》か伝ふるに足る者有らん哉《や》、且つ夫《そ》れ自伝を艸《そう》する、勢《いきお》ひ知人故旧の秘密を暴露せざるを得ず、彼《か》のルーソーの如きは忌憚《きたん》なきの甚しき者、是れ予の忍ぶ能はざる所也と、予其《その》謙遜にして人情に厚きに服し、強《しい》て又請《またこ》はざりき。

嗚呼、正を懐《いだ》き道に志すの士、或は玉《ぎょく》を当年に潜《ひそ》め、己を潔くし操《みさお》を清くするの人、或は世を没するまで以て徒に勤む、古《いにしえ》よりして然り、先生の才之《この》識にして、一生不遇にして老死せし者、却つて其人品の甚だ高きを見る可らずや。

第七章　書《しょ》　柬《かん》(上)

人の天真を見んと要せば、其尺牘《せきとく》に若《し》くは無し、而して先生に於て殊に然り、先生曾て予に与ふる所、悲壮なる者、飄逸《ひょういつ》なる者、笑ふべき者、泣くべき者、篇々《へんぺん》皆真情の楮表《ちょひょう》に流露せざるはなし、惜《おし》むらくは其半ばを散逸す、今現に存する者に就て十余通を抜き聊《いささ》か評注して下に載《の》す。

其一《そのいち》は、明治二十八年春、予の「広島新聞」に載筆《さいひつ》するの時に寄せらるゝ者、曰く

御紙《ごし》面拝見《めんはいけん》仕　候《つかまつりそうろう》、初刊《しょかん》には至極御整頓之状相見《あいみ》へ敬読《けいどく》仕　候《つかまつりそうろう》、貴地の風俗縷々《るる》御申越《おもうしこ》し、何様《なにさま》関西は緩慢之《かんまんの》風有之《ふうこれあり》、大阪さへも随分気永《きなが》きに堪へず、況《ま》して御地《おんち》は特に甚《はなはだ》しかるべし、しかし折角御《せっかくお》出込《いでこみ》に相成《あいなり》　候上《そうろううえ》は今暫《しばら》く御滞在可然《しかるべく》、且又《かつまた》新紙の為めにも今暫く御勉強必要と　奉　存《ぞんじたてまつり》　候《そうろう》、御推察の如く小生は日々檐頭《えんとう》に背を曝《さら》し梅を嗅《か》ぎ居　申　候《おりもうしそうろう》、娑婆世界の幸福には充分に御座候、唯《ただ》

いつも欠く所は孔方兄《こうほうけい》のみ、御一笑可被下候《ごいっしょうくださるべくそうろう》、太田氏へは別に不寄書《しょをよせず》、宜敷御《よろしくご》伝語《でんご》被下度候《くだされたくそうろう》、同氏も隻眼《せきがん》を失し、嘸々《さぞさぞ》不自由を被感可申《かんぜられもうすべく》、しかし猶一隻《なおいっせき》を余し、不幸中の幸と奉存候《ぞんじたてまつりそうろう》、徳富君御面会之節是又宜敷御《これまたよろしくご》伝語《でんご》奉願候《ねがいたてまつりそうろう》、先《まず》は貴《き》答《とう》、草々不《そうそうふ》一《いつ》。

三月十三日　　　　　　　　　　中　江

幸　徳　様

予の初め広島に赴《おもむ》かんとするや、先生懇《ねんごろ》に其不可《ふか》を諭す、予聴《き》かずして行く、果して先生の言の如し、而して予の直ちに帰京せんとするや、先生又此書《このしょ》を寄せて慰諭《いゆ》して止《とど》まらしむ、予又聴かず、留まる僅《わずか》に二ケ月にして京《みやこ》に帰り、「中央新聞」に入れり。

明治卅年冬、松隈内閣殪《たお》れ、伊藤博文代《かわ》りて立つや、「中央新聞」之が機関たり、予屑《いさぎよ》しとせずして去らんことを言ふや、先生書あり、曰く

御紙面拝見、腸《ちょう》窒《チ》扶《ブ》斯《ス》病《びょう》御煩《おわずら》ひの旨《むね》、御軽症にて追々《おいおい》御快方之由《よし》、奉大賀《たいがしたてまつり》

候《そうろう》。

主義云々《しかじか》御申越《おもうしこし》一応御尤様《ごもっともさま》に御座《ござ》候得共《そうらえども》御老人も御存在、何分此《なにぶんこの》社会は衣食と云ふ必要条件有之《これあり》、幾分の志を曲《ま》ぐることは不得已次第《やむをえざるしだい》にて、孟軻《もうか》も為めに禄仕《ろくし》の一遁路《いちとんろ》を開きたる儀にて、且又《かつまた》新聞紙に従事するに付而《ついて》も、必しも自己に反対の説を主張するにも不及《およばず》、其変《そのへん》は所謂手加減《てかげん》に御遣《おや》り可然歟《しかるべきか》、唯近日云ふ所の提携又は買収等は特に難堪《たえがた》き者にて、如何に衣食の為めとは云へ、左《さ》りとは縊死《いし》するに劣る事万々《ばんばん》なれば、士君子《しくんし》の宜《よろし》く避くべき所に可有之候《これあるべくそうろう》、此《この》複雑の世に処《し》しては、伯夷柳下恵《はくいりゅうかけい》の中間を行くこと肝要かと愚考《ぐこう》仕候《つかまつりそうろう》、生《せい》も不相更《あいかわらず》孜々《しし》汲々《きゅうきゅう》たる事にて未《いまだ》好果を収め不得《えず》、しかし経綸《けいりん》は漸々《ようよう》歩を進め居候故《おりそうろうゆえ》、追々《おいおい》奏効《そうこう》の期《き》も近寄り候と存居候《ぞんじおりそうろう》、他日或は飲水著書之楽《たのしみ》も得らるべく、其節は御相談可申上候《もうしあぐべくそうろう》、右貴答《みぎきとう》、余拝眉《よはいび》。

九日　　中江

幸徳様

御病後御大切被成度《なされたく》、殊に末期《まっき》は食料御慎《おつつし》み専一奉存候《せんいつにぞんじたてまつりそうろう》。

何ぞ其懇到《こんとう》なるや、而して予は又々先生の慰諭《いゆ》を聴かずして、「中央新聞」を去る、先生即ち予を黒岩涙香君に介して朝報社《ちょうほうしゃ》に入らしめたり、嗚呼《ああ》予当時年少《ねんしょう》気を負ふて放縦《ほうしょう》、東西飄蓬《とうざいひょうほう》頻《しきり》に先生を煩《わずら》はす、今にして之を思ふ、慚愧《ざんき》何ぞ堪へん。

一昨年八月憲政党諸子が挙《あげ》て伊藤博文の膝下《しっか》に拝跪《はいき》し、其僕従《ぼくじゅう》たらんことを希《ねが》ふや、先生憤怒して書を飛《とば》し来《きた》る、曰く

甚暑難凌《じんしょしのぎがたく》、皆々様御壮健の由奉大賀候《よしたいがたてまつりそうろう》、新政党の非立憲なる非自由なる申《もうす》迄《まで》も無之《これなく》、就ては祭自由党文《じゆうとうをまつるのぶん》と題して大兄之椽筆《たいけいのてんぴつ》を揮《ふる》はれ度《たく》、自由党之歴史を掲げ、幾多人士《じんし》が生命財産を失却したるも、今日に至り二、三首領の椅子熱の踏段と成りたるに過ぎず、所謂祭自由党文は、好一篇の悲《ひ》壮文字《そうもんじ》を做《な》すに足るべく、是非御一揮《ごいっき》相成度　候《あいなりたくそうろう》、将《は》た新政党将来に関し、老生探得《ろうせいたんとく》したる事も有之《これあり》、其中《そのうち》常野鉄道《じょうやてつどう》より電話を以て御呼可申　候《およびもうすべくそうろう》。拝

二十六日　　　　　　　　　　中江

幸徳様

此書《このしょ》筆跡亦龍蛇《またりゅうだ》の飛動するが如く、以て其意気の如何に坌湧《ふんよう》したるかを見るに足る者ありき、予が同日卅日の「万朝報」紙上に自由党を祭るの一文を掲《かか》げしは、実に這《こ》の書簡の為めに炎々《えんえん》たるインスピレーションを与へられしが為めなりき。

次で同九月十九日左《さ》の書あり。

不相更《あいかわらず》紙上御健闘之段、為国家珍重之至《こっかのためちんちょうのいたり》に奉存候《ぞんじたてまつりそうろう》、先年英仏対訳小字典御《お》譲《ゆず》り申候とボンヤリ相覚《あいおぼ》へ居申候《おりもうしそうろう》、若果《もしはたし》て左様にて目下御必用に無之《これなく》ば一時拝借仕度乍御手数《つかまつりたくおてかずながら》小使《こづかい》を煩はし常野鉄道迄《まで》井上言信氏を宛《あ》て丶御届被下候様《おとどけくだされそうろうよう》奉願候、国民同盟会之設《もうけ》は時節柄至《し》極面白《ごくおもしろ》く被思《おもわれ》申候、内幕《うちまく》御探査相成度《あいなりたく》、新政党の側にて余程気に致し居候と被察《さっせられ》、本日之国民日々《こくみんにちにち》両新聞に長々論じ有之《これあり》御一覧相成《あいなり》と奉察候《さっしたてまつりそうろう》、先《まず》は用事。草々拝

九月十九日　篤介

伝次郎様

当時先生寖々《しんしん》牙籌《がちゅう》に倦《う》みて、文学の楽《たのし》みを思ふ、且つ再び政界馳駆《ちく》に意あるが如くな

りき、書中言ふ所の字典、先生手沢《しゅたく》の存する所、予深く愛護せしに、数年前人の為めに持ち去られて返されず、今果して誰氏《たれ》の手に在る乎《か》、書中の新政党は政友会を謂ふ也。

予の字典紛失の事を謝するや、先生左《さ》の答書を与へらる。

御紙面拝見仕候、小字典紛失之旨、右は決して御心配被成間敷《なさるまじく》、強《しい》て御詮議相成《あいなる》事《こと》は御無用被成度候《なされたくそうろう》、若し他に御世話被下候《くだされそうら》はゞ一時借用仕度《つかまつりたく》、極々簡単なるものにて宜敷《よろしく》、英仏対(仏英対に非ず)之方《のほう》所望に御座候、小生巴理《パリ》に居候節、少々英語を修めたるも、其後打棄候《うちすてそうろう》より、今日閑《ひま》に任《まか》せ、楽み半分英文を読習致候処《いたしそうろうところ》、羅甸《ラテン》若《もし》くは仏蘭西《フランス》より変化したるものは大抵推読候得共《すいどくそうらえども》、純粋のアングロサクソン語は、対訳を須《もち》ゆるに非ざれば到底理会出来《りかいでき》不申《もうさず》、夫故《それゆえ》一時相用《あいもち》ひ度《たく》、御序之節《おついでのせつ》常野鉄道事務員の手迄《てまで》御届置《おとどけお》き被下度《くだされたく》奉願候、国民同盟会は将来或は面白かるべく、大兄御閑暇《ごかんか》も有らば公爵に面会被成《なされ》、其人《そのひと》と為《な》り如何《いかん》、其決心如何、器識《きしき》如何等御藻鑑《ごそうかん》相成候《あいなりそうろう》ては如何《いかが》、元堂上的門閥家《もとどうじょうてきもんばつか》を利用するも時に取りての好策《こうさく》かとも被存申候《ぞんぜられもうしそうろう》。拝

九月二十三日　　　　　　　　篤　介

伝次郎様

予は匆惶丸善《そうこうまるぜん》に走りて、小字書を購《か》ひて送呈したり、而して予は竟《つい》に先生の命を奉じて書中の所謂《いわゆる》公爵に謁《えっ》するの機を得ず、先生先《ま》づ趨《はし》つて国民同盟会に投ずるに至れり。

七年春、先生大阪に於て病《やまい》に臥す、四月予著《あらわ》す所の「帝国主義」論を評するの書あり。

貴著「帝国主義」御恵贈被下《ごけいぞうくだされ》奉謝候《しゃしたてまつりそうろう》、病中退屈早速誦読《しょうどく》卒業、議論痛絶所謂疾之身《しつのみ》に在《ある》を忘れ申候、行文勁練《こうぶんけいれん》、而も醞藉之趣《うんしゃのおもむき》を失はず、敬服之至に候。今日之所謂帝国主義、正に純然たる黷武主義《とくぶしゅぎ》にて秦皇漢武之暴《しんこうかんぶのぼう》を行ふに、科学に基《もとづ》ける精利之器を以てするもの、実に古今之惨《さん》を極《きわ》むと謂《い》ふ可《べ》し、若し此際《このさい》に於て古《いにしえ》のアリスチード、シンシナチユース、周武《しゅうぶ》、殷湯《いんとう》、諸葛亮、曽国藩《そうこくはん》等の如く、真に止戈之《しかの》目的を以て、亜細亜《アジア》大陸に雄張するに於ては、他年世界平和之大義或は庶幾《しょき》す可き歟《か》と被存《ぞんぜられ》中候、此等《これら》大事は到底今日之斗筲輩《とそうはい》と論道《ろんどう》す可きに非ず、

可嘆可嘆《たんずべしたんずべし》、先《まず》は御礼。草々拝

廿八日　　　　　　　　　　篤　介

伝次郎様

鄙著《ひちょ》に対する美言《びげん》は、固《もと》より当らずと雖《いえど》も、而も先生が晩年国民同盟会中の一人たりし者、決して其《その》武断侵略を喜べるが為めに非ざりしや、以て知る可き也、後《の》ち幾《いく》ばくもなく一年有半の宣告は下れり。

第八章　書　柬(下)

婦人の涙は溶《と》けて滴《したた》る、丈夫の涙は凝《こり》て流れず、溶けて滴る者は為めに慰藉《いしゃ》を得べし、凝て流れざる者は更に悲痛を加ふるのみ、予が去年八月泉州《せんしゅう》堺《さかい》に先生の病床を訪《と》ひ「一年有半」の稿を抱《いだき》て京に帰る後、先生屢〻《しばしば》寄せらるゝの書簡、一点の涙痕《るいこん》あるを見ずして、而も篇々《へんぺん》、自ら不遇なる天才の末路を写出して、人をして悲痛に堪へざらしむ。

見よ、先生が其「一年有半」の稿を以て自ら畸形児を分娩《ぶんべん》せるに譬《たと》へたるを。

御書面拝見仕候、御首尾《ごしゅび》能《よく》御着京之旨奉大賀《たいがたてまつり》候、誠に此度は十数年来之酷熱《こくねつ》に際し遠路態々《わざわざ》御来訪被下《くだされ》、且鄙著《かつひちょ》に付而《ついて》は種々《いろいろ》御配慮、此上宜敷《よろしく》奉願候、空谷《くうこく》の跫音《きょうおん》と申候《もうしそうらえ》得共《ども》、夫《それ》よりも更に甚敷《はなはだしく》、殆ど難産之婦人が穏婆《おんば》に遇ひたる時は斯《か》く有る可しと相感じ申候、即ち僅《わずか》に生み落したる畸形児を御托《おたく》し申候上は頭《あた》まを撫《ぶ》し湯を遣《つか》はし、可成《なるべく》不具の醜《しゅう》を去り、且つ健全に肥立《ひだち》候様至願《そうろうようねがいたり》に御座候、昨日は大坂毎日記者故曽田《そだ》愛三郎《あいさぶろう》氏之姪《てつ》態々《わざわざ》来車、談著述(「朝日」に出たる故)の事に及び候より、大兄之御来車に際し鄙著を托し候旨《むね》申候て、本日の紙上に現はれ申候　御地《おんち》気候《きこう》霍然《かくぜん》改まりたる由、当地少々ゆるみたるも今猶ほ蒸熱《むしあつ》く、しかし名古屋も降雨中之《こううちゅうの》由《よし》に御座候へば、当地も近々甘雨《かんう》に沾《うるお》ひ可申相待居申《もうすべくあいまちおりもうし》候《そうろう》、今少々暮能《くらしよ》く相成候はば、此先《このさき》又少々執筆致度《いたしたく》考居申候　御多忙中には可有之候得共《これあるべくそうらえども》、出版の事は相成るべく御取急ぎ被下度《くだされたく》、病中相楽《あいたのし》み居申候、御賢《ごけん》察被下度《さつくだされたく》候、御母堂様初《はじめ》御令閨《ごれいけい》へも此度之《このたびの》御礼御伝言被下度《くだされたく》、時下厚く御保体《ごほたい》

専一被成度《せんいつになされたく》候。頓首《とんしゅ》

八月十日　兆民

秋水賢兄

鄙稿《ひこう》中醜《みにく》き処は御遠慮無く、御删正被下度候《ごさんせいくだされたくそうろう》。

其翌《あくる》、又到《またいた》る者曰く

炎熱《えんねつ》之候にも不管《かかわらず》、御帰宅早速書肆《しょし》に御掛合等被下《おかけあいなどくだされ》、御厚志之段《ごこうしのだん》奉謝候《しゃしたてまつりそうろう》、紙数僅々《しすうきんきん》たるものに候へば、原稿如何に高価に售《う》らるゝも知れたるものに御座《ござ》候間《そうろうあいだ》、矢張版権を所有し置き、印税に致候《いたしそうろう》方可然被存《ほうしかるべくぞんぜられ》申候、分袖後直《ぶんしゅうごただち》に又々執筆可仕相考《つかまつるべくあいかんがえ》候処、当地は今に炎熱甚敷《はなはだしく》、加之頃日来頸頭《しかのみならずけいじつらいけいとう》の塊物《かいぶつ》隠々疼痛《いんいんとうつう》、且喉頭部緊迫殊に甚敷《はなはだしく》、為めに唯ブラ〳〵致居申候、写真は小生巴理《パリ》に留学中に取りたるもの、先日「二六新報《にろくしんぽう》」へ借したる旨、其思召《おぼしめし》にて同新聞社より御取り被下度候《くだされたくそうろう》、「三酔人」と「理学鉤玄《りがくこうげん》」、並に「革命前二世記事」とは根岸金杉村笹《かなすぎむらささ》の雪横町《ゆきよこちょう》に住居の根岸兎三郎《ねぎしとさぶろう》氏の手を経て、抵当(たしか三百円)に成居候《なりおり》、右の如く三部とも版権所有し有るも抵当に相成居候得共、根岸氏の事故《ことゆえ》、何とか噺出来可申《はなしできもうすべく》被存申候《ぞんぜられ》、「毎夕」の論文と「百零一」の論文とを附録とする時は、「毎夕」の方を前に出す方可然被存候《しかるべくぞんぜられ》、是等も一時の走筆《そうひつ》に候間、余り醜き処は御遠慮なく、御刪正被下度候、先《まず》は早々貴答而已《きとうのみ》。

八月十一日　　　　　　　　篤　介

伝次郎様

当時の炎暑は実に甚しかりき、而して先生の病勢は日に悪《あ》しかりし也。予は「一年有半」の魚魯《ぎょろ》校訂の事に当るも、之に序するは、別に其人あるべきを言ふも、先生聴《ゆる》されざりき。

御書面拝見仕候、炎暑之節種々《いろいろご》御面倒相掛《めんどうあいかけ》御親切御取計ひ被下《くだされ》、感佩之至《かんぱいのいたり》に御座候、賢兄之《けんけいの》序引は是非とも必要に御座候、右は決して御辞避無之様《ごじひこれなきよう》呉々《くれぐれ》申入候、御地《おんち》も又々暑気烈敷《はげしく》候由《よし》当地久敷《ひさしく》雨無し、此三五日間《このさんごにちかん》、丸《まる》で甑中《そうちゅう》に在るが如く、殆ど閉口罷在《まかりあり》候　万朝《まんちょう》「夏艸《なつくさ》」面白く拝見仕候、但《ただし》小生に関する首段《しゅだん》、推奨過当之処《ところ》は措き、律詩一篇、実は両句丈《だ》け記性《きせい》に存し、余の句はどふしても思ひ出されず、何《い》つか書せんと欲して記性を失ひたる為め止《や》めたる事御座候、御記載に由《よ》り実に隔世之感《かくせいのかん》有り、夢柳《むりゅう》も御説の如く一奇才、是又《これまた》実に夢の如き事に御座候、貴紙上茶代《ちゃだい》廃止は至極の御挙《おんきょ》と奉賛成《さんせいたてまつり》候、着々《ちゃくちゃく》純理之道に進まれ、世の物議虚栄を屑《いさぎよし》とせざる処、快絶奉存候、先《まず》は右斗《みぎばかり》。拝

八月十八日朝　　　　　兆　民

秋　水　賢　兄

初め予の堺《さかい》より帰りて、遺稿の事を言ふや、黒岩涙香君予に謂《いい》て曰く、若し他に出版の方法なくんば、僕之《ぼくこれ》に投資して、朝報社《ちょうほうしゃ》は発售《はっしゅう》の労を取るを厭《いと》はざる可しと、後《の》ち幸《さいわい》に博文館主人の手に托するを得たるを以て、君を煩はさざることを得たりき、先生之を謝し、且つ「一年有半」中の字義に関して予に誨《おし》へらるゝの書あり。

御紙面拝見仕候、御令閨様迄《ごれいけいさままで》御厄介被下候旨《くだされそうろうむね》、御厚志之段深謝之至《しんしゃのいたり》奉存候、涙香君の一言《いちごん》、其高義小生に取りては、既に賜《たまもの》を拝したるも同様、賢兄より宜敷《よろしく》御

礼御伝言被下度候《くだされたく》、「城を背にして一《いっ》を借《か》る」「左伝《さでん》」の語にて、即ち城を背にして一戦せんの義、一を借るとは、洒落《しゃれ》て「一つ御見舞ひ申さん」と云ふも同じ、「崑崙《こんろん》に箇《こ》の棗《なつめ》を呑む」は、甘艸丸呑《かんぞうまるのみ》と同じ、崑崙とは正に「丸るで」、「噛まずに」の義、「論語読みの論語知らず」も同義也、御推察の如く禅語なるも、唐宋の俗語に御座候、「万歳新聞《ばんざいしんぶん》」云々《しかじか》、実に其筋の不学無術なる「社会主義」とか「民主主義」等の字面《じづら》を畏《おそ》る、畏《おそ》る、虎の如し、安《いずく》ぞ知らん百歳の後、或は三五十歳の後は、復《ま》た此等の語を畏るゝに暇《いとま》あらざらんことを、呵々《かか》、当地未だ一滴の雨無く、暑威甚《はなはだしく》敷毎日昏々《こんこんだ》打眠《みん》するのみ、秋涼《しゅうりょう》を以て今少々執筆(他の種類のもの)し度《たし》と考居候得共、其時分には体状不許《ゆるさざる》や否《いなや》、大抵は出来べくと考居申候。頓《とん》首《しゅ》

八月十三日　　兆　民

秋水賢兄

越《こえ》て十日、先生の書は曰ふ

拝啓仕候、御校正被下居候由《くだされおりそうろうよし》、奉謝《しゃしたてまつり》候、製本は五部丈《だけ》手許《てもと》へ御送附被下度《くだされたく》、又五部は留守宅へ御届被下度《おとどけくだされたく》、子供等の事故《ことゆえ》一部も散らかさぬ様、御注意御与《おあた》へ被下度、将又《はたまた》残余十部は、賢兄に御任《おまか》せ申候間、新聞の重《おも》なる者へ御送被下《おおくりくだされ》たく、其他は賢兄の御随意被成下度《なしくだされたく》候。

先般「三国誌」と「陶淵明集」御送被下、早速落手之《らくしゅの》事御報可申処《ことごほうじもうすべきところ》、何やかやの為め延引《えんいん》仕候、右は日々好伴侶として誦読仕《しょうどくつかまつり》、御蔭を以て大《おおい》に消遣《しょうけん》の策を得申候、当地も一昨来《いっさくらい》雨降り、大に暑気を一洗《いっせん》し候得共、今日頃より又々ぢり〳〵暑《しょ》に復し来る勢《いきおい》に御座候、小山《こやま》赤十字病院へ入《はい》り候由、腫物《はれもの》追々《おいおい》フキ切候由に付、或は幸に全癒得可申《ぜんゆをえもうすべく》、祈望《きぼう》此の事に御座候、先《まず》は右斗《みぎばかり》。拝

八月二十三日　　兆　民

秋　水　賢　兄

御尊母様御帰省之由、暑之時分《あつさのじぶん》、御老体御壮健、何よりの御事に御座候。

幾《いくば》くもなく「一年有半」刻成《こくな》る、挿《さしはさ》む所の先生壮時《そうじ》の小照《しょうしょう》、複写拙《せつ》にして、甚だ原版と似ず、予其疎漏《そろう》を謝するや、先生曰ふ。

御書面拝見仕候、校正方御骨折被下《おほねおりくだされ》候由奉深謝候。写真之事に付種々《いろいろ》御心配相掛け、御気の毒之至《いたり》、写真抔《など》は肉体に属するもの、どふでも宜敷《よろしく》、唯原版は御留置被下《おとどめおきくだされ》て、其中《そのうち》に家内のものへ御手渡被下度《おてわたしくだされたく》、小生も過日小島の懇勧《こんかん》に任せ、来月十日頃には帰東《きとう》仕事《つかまつること》相成可申《あいなりもうすべく》、左《さ》すれば原稿なり又写真の原版なり、其節御受取申しても宜敷、要之《これをようするに》小生か又は荊妻《けいさい》に御渡《おわた》之程《しのほど》奉願候。

小山容体御申越、箇様《かよう》に苦痛を増ては気の毒之至、全体人畜を論ぜず、動物に取りて、死其物よりも苦痛こそ畏《おそ》るべきものにて、余り苦痛する様ならば、速《すみや》かに瞑目《めいもく》する方、余程ましかと被存《ぞんぜられ》申候。

小生も矢張病勢徐々《じょじょ》進行し来候、可成《なるべく》は東帰之上、今百ページ斗《ばか》り哲学の一システームを書き度《たし》と存じ居申候、天果《てんはたし》て之を許すや否《いなや》、唯《ただ》タハイ無きものにもせよ「一年有半」の出版お蔭を以て出来候へば、読者が何と云《いお》ふが、小生の心事《しんじ》に於て誠に満足之至、此上は病気は彼れの意に任《まか》して、速《すみやか》に進行し来るも、少々猶予を与へてくるゝも、問ふ所に非ずと自諦《じてい》罷在候《まかりありそうろう》。

我日本人余程之学者にても、我両親の事を「愚父《ぐふ》」「愚母《ぐぼ》」と申す習慣有之《これあり》、怪《け》しからざる事にて、是は必ず「家父《かふ》」「家厳《かげん》」「慈母《じぼ》」等寧《むし》ろ尊敬愛慕の字を冠《か》らす事、漢土の礼に御座候、乍序老婆親切迄《ついでながらろうばのしんせつまで》申上候、御気付《おきづき》とは存候得共、病中退屈に任せ、饒舌《じょうぜつ》仕候。先《まず》は草々拝

八月二十九日　　　　　　　　兆　生

秋水賢兄

書中の小島云々《しかじか》は小島龍太郎《こじまりゅうたろう》君を謂ふ、小山容体云々以下、亦《また》先生哲学の鱗片《りんぺん》を露出したる者、非耶《あらざるや》、若し夫《そ》れ末段の教誨《きょうかい》の如き、其情深《しん》なる予の感銘忘るゝ能はざる所也。

九月十日、先生京《みやこ》に帰り、旬余《じゅんよ》にして「無神無霊魂」の稿成る、予は先生の疾《しつ》既に甚だ篤《あつ》きを知り、深く其生前に「無神無霊魂」の発行を見るに及ばざらんことを恐れたりき、左《さ》の一書は即ち当時与へらるゝ者。

昨日も遠路御来車被下《ごらいしゃくだされ》、種々《いろいろ》御配慮之程奉謝候、扨《さて》出版の件は可成御取急被下度《なるべくおとりいそぎくだされたく》、

実は今日之処、小生身体猶余裕有之《これあり》と自信候得共、又石黒の申候には、或は迷走神経が圧迫を受くるも知れずと申候、左候時《さそうろうとき》は心臓の麻痺を起し候間、事極て速に運び可申、可成今一応《なるべくいまいちおう》出版後之評判承知致度、是は病老人之愚痴と御寛恕《ごかんじょ》被下度候、右願用《がんよう》。草々拝

十月一日　　　　　　　　　　　兆　生

秋　水　賢　兄

嗚呼《ああ》食喉《のど》を下らず、口言ふ能《あた》はず、身《み》仰臥《ぎょうが》する能はず、横臥する能はず、枕を擁《よう》して俯伏《ふふく》する者半歳《はんさい》の久しきに及び、二六時中疼痛《とうつう》間断なく、僅《わずか》に麻痺剤を服して以て眠《ねむり》を誘ふの人に在《あり》ては、所謂「老病人の愚痴」は、真に是れ唯一の楽地に非ずや、而して若し尋常人《じんじょうじん》を以て、此際に処せしめば、豈《あ》に此《この》「愚痴」を発するの余裕あることを得んや。

小山久之助《こやまひさのすけ》君(23)、先生の帰京を聴き、病《やまい》を扶《たす》けて往《ゆき》て謁《えっ》す、師弟相見て黯然《あんぜん》語なき者之を久しくす、幾《いく》ばくもなく小山君先づ死す、本《もと》の露末《つゆすえ》の雫《しずく》、老少の定めなく、後先《あとさき》の測《はか》り難《がた》き真に如此《かくのごと》き哉《か》。

小山之死後未だ御目に懸《かか》らず、小山を哭《こく》するの文御掲載相成《ごけいさいあいなり》、此一世《このいっせい》の人より誤解せられて、悪人と信ぜられたる本人も、一種の道楽に悪党自慢して、其実極《そのじつきわめ》て不悪党なる御論《ごろん》の如く、実に小児《しょうに》の如く、直情径行、無邪気無害之愛すべき一個の変漢をよふこそ模写して御遣《おつか》はしに相成《あいなり》、本人地下に於てのみならず、彼を愛したる小生に於て涙を攬《とり》て誦読《しょうどく》致申候。

黒岩氏「一年有半」の評を始めくれ、大分力を入れて十二分の処へ擬《ぎ》しくれ、大《おおい》に面白く感じ、大に病中の苦を慰《い》し申候　「続一年有半」に於ける賢兄之序文誦《しょ》読《うどく》を楽《たのし》み居《おり》申候。

今日又々博文館主人来り、又阿堵物《あとぶつ》持来《もちきた》り呉《く》れ候、どうやら、十七日頃には出版発売の運《はこび》と相成可申旨《あいなりもうすべきむね》に御座候、先《まず》は右斗《みぎばかり》、草々。拝

十一日　　　　　　　　　　兆　生

秋　水　賢　兄

書中、本人地下の文字を以て、或は無霊魂説と矛盾すと云ふが如きは、元より文章

を解《かいさ》ざるの徒《と》のみ、与《とも》に論ずるに足らざる也。

今にして思ふ、先生左の書を寄せられしは、実に其死を距《へだ》ること五旬《ごじゅん》の前なりき。

「詩《し》韻含英《いんがんえい》」御所持成れば、乍御手数《おてかずながら》御送被下度候、将又《はたまた》「含英」で無くとも、何か韻礎《いんそ》之《の》本《ほん》御所持成れば、同様御届被下《おとどけくだされ》候様奉願候。

十月廿五日

翌二十六日次で左の書を恵まる。

昨日は「含英」態々《わざわざ》御持たせ被下《くだされ》、難有奉謝候《ありがたくしゃしたてまつり》、実は頃日来《けいじつらい》間断無く疼痛《とうつう》候より、夜間寝られざる事屢〻《しばしば》にて、折々詩句を思ひ付く事有之《これあり》、何分韻礎《なにぶんいんそ》を忘却し困却候より、御無心申上候次第に御座候、病中二首を得申《えもうし》候、一夜《いちや》を隔て、

残燈吹燄已、涼月半窓明、
病客夢方覚、陰虫三五鳴、
西風終夜圧庭区、

残燈《ざんとう》燄《ほのお》を吹《ふ》いて已《や》み、涼月《りょうげつ》半《なか》ば窓《まど》に明《あか》るし、
病客《びょうかく》の夢《ゆめ》方《まさ》に覚《さ》め、陰虫三五《いんちゅうさんご》の鳴《めい》、
西風終夜庭区《せいふうしゅうやていく》を圧《あっ》し、

落葉撲窓似客呼、
夢覚尋思時一笑、
病魔雖有兆民無。

落葉窓《らくようまど》を撲《う》ちて客《きゃく》の呼《よ》ぶに似《に》たり、
夢《ゆめ》覚《さ》め尋思《じんし》の時一笑《ときいっしょう》、
病魔有《びょうまあ》りと雖《いえど》も兆民《ちょうみん》無し。

御一笑《ごいっしょう》被下度候。「続一年有半」は、物が物故《ゆえ》余り売行《うれゆき》不宜《よろしからず》と察し居《おり》申候《もうしそうろう》、様子《ようす》如何哉《いかがにや》、奉伺《うかがいたてまつり》候。拝

兆民生

秋水兄

此詩蓋《けだ》し実録也、圏点《けんてん》は先生自ら附せる所、予即ち其後詩の韻《いん》に次《じ》し、蕪詩《ぶし》三首を得て呈したりき、今左に記すと云ふ。

卅年罵倒此塵区
生死岸頭仍大呼
意気文章留万古
自今誰道兆民無

卅　年《さんじゅうねん》罵倒《ばとう》す此《こ》の塵区《じんく》、
生死《せいし》の岸頭《がんとう》仍《な》ほ大呼《たいこ》す、
意気《いき》文章《ぶんしょう》万古《ばんこ》に留《とど》む、
今《いま》自《よ》り誰《たれ》か道《い》ふ兆民《ちょうみん》無しと

右一年有半

悲秋寂寞水雲区
渡口扁舟何処呼
驀地勁風天似墨
蘆花歴乱月還無

右無神無霊魂論

嵩山大雪圧庭区
半夜何人断臂呼
面壁先生回首処
寒燈一穂淡于無

右一年有半

悲秋《ひしゅう》寂寞《せきばく》たり水雲《すいうん》の区《く》、
渡口《とこう》の扁舟《へんしゅう》何処《いずく》にか呼《よ》ばん
驀地《ばくち》たる勁風《けいふう》天墨《てんすみ》に似《に》たり、
蘆花《ろか》歴乱《れきらん》月《つき》還《ま》た無《な》し

右無神無霊魂論

嵩山《すうざん》の大雪《たいせつ》庭区《ていく》を圧《あっ》す、
半夜《はんや》何人《なんぴと》か臂《ひじ》を断《た》ちて呼《よ》ぶ、
面壁《めんぺき》の先生《せんせい》首《こうべ》を回《めぐら》す処《ところ》、
寒燈《かんとう》一穂《いっすい》無《な》きに淡《あわ》し

第九章　末期

「終《つい》に行く道とは兼《かね》て知りながら、昨日今日とは思はざりしを」先生、明治三十四年十二月を以て、小石川武島町《こいしかわたけしまちょう》の自邸に歿す、享年五十有五、其初めて余命一年有半の宣告を受けてより、未《いまだ》九ケ月に充《み》たず、天下知る知らざると、皆な悼惜《とうせき》せざるなし、哀哉《かなしいかな》。

是《これ》より先き、先生泉州《せんしゅう》堺に在りて、「一年有半」を著《あらわ》し、次で京《みやこ》に帰りて「続一年有半」を稿す、事は此二書に詳《つまびら》かにして、世人の既に熟知せる所也、十月「続一年有半」刻成《こくな》るの後、先生苦痛益〻劇《ますますはげ》し、屢〻石盤《しばしばせきばん》に書して曰く、我今や一《いっ》の慾望なく、一の執着なし、但《た》だ死の速《すみや》かならんことを欲するのみ、長く苦痛せんよりは、別に計を為《な》さんに如かずと。

十一月に入り、臨池《りんち》を楽しみて以て苦痛を慰《い》せんとし、臥褥《がじょく》の上に在りて雲烟《うんえん》を揮《き》洒《さい》す、書する所の楮縑《ちょけん》は皆な故旧に頒《わか》ちて以て別を為《な》せり、笑つて曰く、我れ人生万事を取て総《すべ》て放擲《ほうてき》し去る、唯《た》だ文雅《ぶんが》の楽《たのし》みは、今に於て忘るゝを得ず、奇と謂《い》ふべしと。

此月下旬に至りて、疾《しつ》益〻篤《あつ》く、頭脳昏々《こんこん》として、時として夢と現《うつつ》とを弁ずる能はず、筆談の文字往々顚倒《おうおうてんとう》し、或は画《かく》を成さゞるに至る、釈雲照《しゃくうんしょう》の病室に闖入《ちんにゅう》して祈禱を迫れるは、実に此際に在りき、十二月初旬疾頓《しっとみ》に革《あらた》まり、此月十三日午後溘焉《こうえん》として遂に起《た》たず。

翌十四日午後、親戚浅川範彦《しんせきあさかわのりひこ》、葛岡信虎《くずおかのぶとら》、友人小島龍太郎、門人初見八郎《はつみはちろう》、原田十衛《はらだじゅうえい》の諸君、先生の遺骸《いがい》を大学病院に送りて解剖に附す、予も亦《また》従ふて往く、岡田博士、先づ参観の諸生に向つて説明する所あり、次で山極博士刀《とう》を執《とり》て、喉頭《こうとう》より一気に割《さき》て臍下《せいか》に至る、予未だ人体解剖の状を知らず、一見して悚然面《しょうぜんおもて》を掩《おお》はざるを得ざりき、少《しば》らくして肋骨《ろっこつ》を剪《き》り、肺胃《はいい》を出し、咽喉《いんこう》を検《けん》す、砉然嚮然《かくぜんきょうぜん》として庖丁の牛を割《さ》くに似たり。

此夕《このゆうべ》遺骸を棺中に斂《おさ》む、諸君其頭《あたま》を抱き、予其両脚を拱《きょう》す、囲繞《いじょう》する所の男女数十人、歔欷《きょき》の声室内に満つ、予亦《ま》た涙滂沱《ぼうだ》として禁ぜず、走つて暗中に入《いり》て慟哭《どうこく》する者之を久しくせり。

越《こえ》て二日、葬儀を青山に行ふ、先生の遺教に従ふて、又一切宗教上の儀式を用ゐず、式は板垣退助《いたがきたいすけ》君の弔文朗読《ちょうぶん》に始まり、大石正巳《おおいしまさみ》君一場の演説を為し、野村泰亭《のむらたいきょう》君又弔文を朗読し、土居通予《どいみちよ》君輓詩《ばんし》一律《いちりつ》を吟じ、他二、三の諸君追悼の詞を朗読し、皆柩前《きゅうぜん》に敬礼して散ぜり、此日会する者五百余名。

嗚呼《ああ》兆民先生、今や則《すなわ》ち亡《な》し、然れども古人曰はずや「雲長香火、千載遍于華夷、坡老姓名、至今口于婦孺、意気精神、不可磨滅」（雲長《うんちょう》の香火《こうか》、千載華夷《せんざいかい》に遍《あまね》く、坡老《はろう》の姓《せい》名《めい》、今《いま》に至《いた》るも婦孺《ふじゅ》に口《かた》らる、意気精神《いきせいしん》、磨滅《まめつ》す可《べ》からず」と、然《しか》り意気精神は磨滅《まめつ》す可《べか》らず、先生死すと雖《いえど》も、猶《な》ほ生けるが如し。

蓋《けだ》し聞く、一塊《いっかい》の廬山《ろざん》、峯巒岡嶺《ほうらんこうれい》の体勢各〻《おのおの》一ならずと、偉人の多角多面なる亦之《またこれ》に同じ、之を写して豈《あ》に能く写し尽すと言はんや、唯だ予が見たる兆民先生は実に如此《かくのごと》し、予が追慕する兆民先生は実に如此し、明治三十五年四月末日記す。

（『兆民先生』明治三十五年、博文館）

兆民先生行状記

次兆民先生病中見示韻

（明治三十四年）　秋　水

卅年罵倒此塵区。　生死岸頭仍大呼。

意気文章留万古。　自今誰道兆民無。

〔卅《さんじゅう》年《ねん》罵倒《ばとう》す此《こ》の塵区《じんく》、　生死《せいし》の岸頭《がんとう》仍《な》ほ大呼《たいこ》す、

意気《いき》文章《ぶんしょう》万古《ばんこ》に留《とど》む、　今自《いまよ》り誰《たれ》か道《い》ふ兆民《ちょうみん》無《な》しと〕

「中央公論」の十月号に小泉君(1)の「幸徳秋水を語る」が載つてゐる。そしてその語る相手が私になつてゐる。実は私が、小泉君から三年前に附托された原稿を、そのとき勝手に処分したのである事は、私が添へ書しておいた通りである。猶《なお》そのとき私としては、三申君《さんしん》がついでのことに、秋水と師岡千代子《もろおかちよこ》(2)との関係、および菅野須賀子《かんのすがこ》(3)との関係について、モツトくわしく語つてくれることを懇請《こんせい》しておいた。三申君はほゞそれを承諾してゐた。然るに彼は、その以前、「兆民先生行状記」に於いて、別に大いに秋水を語つた。私は先づそれの発表を懇請せざるを得なかつた。所が、その「行状記」は、三申君が「蘇峰先生古稀祝賀知友新稿」の為めに一文を徴された時、端《はし》なく想到して筐底《きょうてい》に索《もと》めた秋水の遺稿であつた。(それに対する三申君の前がきと後がきとが亦甚《またはなは》だ味ひの深いものであること、云ふまでもない。)従つて私は何よりも先づ、「行状記」の転載を「知友新稿」の発行所たる民友社に請はざるを得なかつたが、民友社は直ちに快諾を与へてくれた。かくて私は再び、三申君の秋水を語る原稿を勝手に処分する自由を与へられたわけで、従つて本篇が早くも本誌本号(「中央公論」五二七号)に載せられるの幸ひを得たのである。私は深く民友社と中央公論社とに謝する。猶、本誌次号以下に於いて、須賀子、千代子に関する、三申君の予約の文字の現はれることは、読者諸君と共に私の切に待ち望む所である。(堺利彦記)(4)

廿六年、癸巳《きし》、二十三歳、中江家に寓せり、国民英学会を卒業す、九月、自由新聞社に入る、小松三省《こまつさんせい》、宮崎晴瀾《みやざきせいらん》、溝口市次郎《みぞぐちいちじろう》等、主なる記者なりき、社は尾張町《おわりちょう》の角にあり、予の月給僅かに七円にて、英字新聞の翻訳に従事せりき、是《こ》れ予が新聞記者生活の始めなり、と幸徳自《みず》から其《その》年譜に記してある。

是に由《よっ》て顧るに、余がこの自由新聞社に入りしは、二十七年の夏であつたと想ふ。時に社は金六町《きんろくちょう》に移り、板垣伯《いたがきはく》が社長格、斎藤珪次《さいとうけいじ》君が経紀《けいき》に任じ、宮崎君が主筆、溝口、森本駿《もりもとしゅん》、二君が中堅、それに幸徳が参加して、編輯局が成立してゐた。其処《そこ》へ余も入社を許されたのであつたが、先是《これよりさき》、余は明治二十四年の夏から半年許《ばか》り、「静岡新報」で記者生活の皮切りをしたから、「自由新聞」が始めてゞはないが、月給の僅かに七円なりしは幸徳と同じ。余時に年二十三、幸徳と年歯《ねんし》相如《あいし》き、文学の趣味にも、青雲の志気にもおのづから共通するものがあり、一見旧知に優《まさ》る契合《けいごう》となり、彼は平河町《ひらかわちょう》の、余は本郷の下宿を去《さっ》て社の二階の一室に同居し、後に愛宕下《あたごした》の下宿に移《うつっ》て起臥飲食を共にすること半年余、骨肉兄弟よりも親しく交はつたが、いくばくならずして新聞社が潰《つぶ》れ、幸徳は「広島新聞」に載筆し、余はめざまし新聞社に入り、これより各自に異なる運命に流転《るてん》して、彼は一路文筆に精進し、余は俗塵《ぞくじん》に堕在《だざい》しても、交誼《こうぎ》友情は年を経るに従つてます／＼濃厚となつた。これ将《は》た奇遇か宿縁か、彼の亡びて二十年を経た後となつても、音容髣髴《おんようほうふつ》として今猶《な》ほ昨《さく》のごとくである。

(宣告後三日認む)愈々《いよいよ》何もかも千秋楽となつた、おれも肩が軽くなつたやうに覚へる、死といふ者は高山の雲のやうなもので、遠方から眺めると大した怪物の形にも見えるが、近づいて見れば何でもないものだ、唯物論者には、左右に振《ふっ》て居た柱時計の振子が停止したより以上の意義はない、殊に親も子もないおれは、睾丸なぞは大丈夫だから安心してくれ。兎《と》に角《かく》貴様《きさま》には是迄《これまで》一方《ひとかた》ならぬ世話になつて、遂に報ゆることを得なかつた、明日知れぬ身だから、此機会に於て深く謝して置く。貴様の注意もあつたから小著をと思つて筆をとりかけて見たが、モウ時間がないと思ふ。(中略)三申よ、余生幾日か知らぬが、矢張り度々《たびたび》消息してくれ、端書でもよいから成るべく毎日頼む。

上封《じょうふう》に二十一日認《したた》むとあるから、余が此《この》手紙を読んだのは、明治四十四年の一月二十一日か二日であらう、彼がこれを認めた二日後、二十三日の午後であつた、余は街上を歩《ほ》し、けたゝましき号外売りを呼び止めて、秋水等一党十余人の死刑が執行されつゝあるを知つて、脳天に三斗《さんと》の冷水を浴び、急に築地の待合若松屋へ駆け込んで、痛飲夜を徹したことを今もあり〳〵覚えてゐる。(正にこの時、私も街上で号外を読み、直ちに一升徳利を買ふて家に帰り、その夜大酔淋漓《たいすいりんり》の止むを得ざるに至つたこと、既記の通り。堺記)

睾丸なぞは大丈夫だとあるは、予が貴様にも覚悟があらうが、一大事の時、睾丸が釣り上らぬやうにせよ、と言ひ送りたる返し、小著云々は、死前《しぬまえ》に著作を遺《のこ》せと勧めしに答へたのである。前年十一月十一日の手紙には、接見通信を禁ぜられて居たので御無沙汰した、其禁《そのきん》が漸《ようや》く昨日から解除された、今度の一件には、君も嘸《さ》ぞ世話甲斐《せわがい》のないやつだと思つたらう。併《しか》し今春君の忠告に従つて一切の世事を擲《なげう》ち、著述の生涯に入らうと決心した時は、今思へばモウ既に遅かつた。冷酷な運命の極印《ごくいん》は、疾《と》く面上に捺《お》されて居たのだ。丸《まる》で君の親切好意を無にしたやうになつて残念だが、是《これ》も成行で仕方がない、偏《ひとえ》に寛恕《かんじょ》を仰ぐ云々とある。若《も》し幸徳秋水を評伝するものあらば、この手紙の註釈は、彼が思想の推移を叙するに、極めて重要な資料となるのであるが、今将《はた》これを語るも何の用をか為《な》さん、畢竟《ひっきょう》これ予が無用の記憶に過ぎずとして、敢《あえ》て忘失を惜まないが、余が二十年来保管してゐる彼が遺物の中に、何としても、これを秘するに忍びざる一物がある。

秋水は明治廿一年、十八歳にして初めて中江兆民の学僕となり、二十三年九月病《やん》で帰郷、二十四年四月再び中江家の書生となつたが、郷里から毎月七円の学資を給さるゝことを得て下宿に移り、二十六年三月、三たび中江家の玄関に寄寓した。其《その》三度めの時、日記ともつかず、随筆ともつかず、兆民先生日常の言行を、ありのまゝに描写したものが、半紙原稿用紙取交《とりま》ぜ十一枚に、細字《さいじ》で書いてある。余が謂《い》ふ所の秘するに忍びざる一物とは、即ちこの遺稿であるが、これを抄録することも亦《また》余の忍びざる所、原本には表紙も題名も無いのを、余恣《ほしい》まゝに「兆民先生行状記」として其全文を掲げる。

○廿六年三月。少しは世間に揉《もま》るゝも佳なるべしとて出《いだ》しやりし大和田と更替《こうたい》に、予は一日より再び先生の玄関に起臥《きが》することとなれり。今の寓居は予が先生に従ひしより、大阪曽根崎、隼町《はやぶさちょう》、神保町《じんぼうちょう》、柳町《やなぎちょう》と移り来し中にて、最も広き構へなり。南面の庭には相応なる仮山泉水《かりさんせんすい》の設《もうけ》あり、梅桜桃 李《すもも》其他種々の樹立《こだち》目を喜《よろこ》ばしめ、奥には椽側《えんがわ》伝ひに同じ庭に向へる茶室ありて、こゝは幼児の遊場《あそびば》となり居れり。兎に角中等人士《ちゅうとうじんし》に恰当《こうとう》なる住居なれど、予にとりては来客の通路なる三畳の玄関の外《ほか》、書生房の設《もうけ》なきため、聊《いささ》か物足らぬ心地せらる。鴨居《かもい》の朽《く》ち戸袋の壊れたるなどは、某奉行《ぶぎょう》の曽《か》つて住まはれしことありといふ時代物の難有味《ありがたみ》をそへて、火災多き江戸には珍らし。

○先生近時全く政海文壇より隠遁して、専《もっぱ》ら心を財利の業に傾けらる。先生語らるゝには、今の政海に立つて鉄面《てつめん》なる藩閥政府を敵手《あいて》にし、如何に筆舌を爛《ただ》らして論議すればとて、中々捗《はか》の行くことに非ず。さらでも貧乏なる政党員が運動の不生産消費は、窮極する所、餓死するか自殺するか、左《さ》なくば節を枉《ま》げ説を売りて権家豪紳《けんかごうしん》に頤使《いし》せらるゝより外なきに至る。衆多《あまた》の人間は節義の為に餓死する程強硬なるものに非ず、×××等の堕落して臭名を流せるも、畢竟《ひっきょう》是が為めのみ。彼豈《あに》節義の何物たるを知らざらんや、其心寧《むし》ろ哀《あわれ》む可《べ》き者あり。金なくして何事も出来難し。予は久しく蛙鳴蟬噪《あめいせんそう》の為す無きに倦《う》む。政海のこと、我是れより絶へて関せざる可し。文字の如きも亦《また》然り。日々奔走に衣食して雄篇大作の出来可き筈なし、泰西の文人は天下を読者とす、故に僅かに一両冊の傑作を出せば忽《たちま》ち数万部の需要あり、以《も》つて畢生糊口《ひっせいここう》の資を得て悠々任意の文を作る。されば大抵相当に富まざるなし、支那にても、文人詩家、杜甫《とほ》を除くの外《ほか》は、窮を愬《うった》ふる彼の如きの韓愈《かんゆ》すら蓄妾《ちくしょう》する程の余裕はありき、彼等金銭の為めに駆られ、飢渇《きかつ》を支へんが為めに文を作らず、故に後代に伝ふるの名文を出《いだ》すことを得たりしなり。今や我小島国の限りある読者を敵手《あいて》とし、新聞雑誌に文を売り、其日暮しを立つる者、能《よ》く何事をか為《な》し得んや。文字や贅沢品なり、衣食足つて後《のち》談ず可きのことなり。黄白《こうはく》なる哉、我は黄白を取らんと。

○先生金儲《かねもうけ》の手始めにとて、去年札幌に紙問屋の看板を出し、今年更に北海道山林組なる名目を同処に掲げぬ。されど尚《な》ほ準備中に属して、利得の我手に入来るは中々遠し。今年九月頃にも至らざれば十分精細なる見込は立ち難しとて、今日一家旧《きゆう》の如く貧乏なり、客月《きやくげつ》大阪より帰られてより直《ただ》ちに北行すべき筈なりしも、金銭の都合思ふやうに運ばざるより、北海道よりは櫛《くし》の歯を引くが如き電報の促し来るにも関せず、二、三日四、五日と延引《えんいん》し居らる。

○先生も令閨《れいけい》も、長《なが》の歳月貧乏には慣れられたれど、今度の如きは珍らしといへり。左《さ》もあるべし。今迄は新聞雑誌の原稿料毎月多少の収入はありつれど、去年の秋以来、所謂《いわゆる》金儲けに着手せられてよりは、収入といふは借金ばかり、段々押詰りし大節季《おおせっき》には廻しきれぬ火の車、焔飛散《ほのおとびち》つて眉《まゆ》を焼くやうな騒ぎ。それでも先生は平気なれど、家賃を始め米屋酒屋其他の時借《ときがり》の督促《とくそく》に直接の衝《しよう》に当らる、大蔵大臣たる身の心苦しさ、あてにもならぬことをあてにして、山仕事なぞを被成《なされ》ずとも、翻訳なりとして直《す》ぐと目に見へた事にて、少しは家の会計を安めて貰ひたしと、度々の諫言《かんげん》申し上ぐれど、われに成算ありとて、のんきの××は更に採用なし。客月に至りて終《つい》に衣類の大かたに質庫《しちぐら》に閉《とざ》されしは論なく、所蔵の漢籍十箱程も惜《お》しや二束三文《にそくさんもん》に売払はれぬ。
○先生の筆不精なる、新聞に従事せらるゝ折すら、気の乗りし時の外は筆を執らるゝこと月に三、四度には過ぎざりし位なるに、まして文壇を退かれしよりは、手紙書くことの外に硯箱《すずりばこ》更に見向きもやらず、かほどうるさがられて、よくも今迄《まで》に夥《おびただ》しき翻訳著述せられしことよ、いと不審《いぶか》し。されど読書を嗜《たしな》まるゝは煙草の止められざるが如し。蔵書売却せられて後は「何か見る物はないか。書物がなくては寝就《ねつ》かれないから」と始終に予の室に来りて書籍探されしも、二、三の詩集持行かれし後は、借本にて事を足す予の事とて、元より差出すべきものもなきに「お前もないなア、何でもいゝから」と、つまらぬ物に満足して行かるゝ様、気の毒に覚へし。
○二、三年前迄は一領《いちりょう》の洋服をも有《も》たれざりしが、第一期議会の時初めてフロックコートを新調せられて後は、洋服の歩行運動に便なるを愛せられしものゝ如く、厠《かわや》を出て手を洗はざる人が、存外着替《ぞんがいきが》ゆる時の煩はしきをも構はず、外出の時は大抵洋服を用ゐらる。当年の印半纏脱棄《しるしばんてんぬぎすて》られしも、古机に向ひし兆民居士に非ずして、実業家の中江篤助となつたる自然の影響なるべしと取沙汰する新聞社は「かく度々車賃に差支ゆる時には洋服に限る」といひ居らるゝを心付かざるなるべし。

○梅花匂へども彤雲《とううん》尚《なお》厚し。先生家居《かきょ》の折はいつも「メリヤス」の「シヤツ」の上に広袖《ひろそで》の布子《ぬのこ》を白浴衣《しろゆかた》重ねて着下《きくだ》し、木綿の三尺帯《さんじゃくおび》腰にまきてブラ〳〵せられ居れり。予を尋ね来れる一友人、玄関にて先生を瞥見《べっけん》して、博徒《ばくと》の頭領の様だナといひぬ。見慣れぬ目には左《さ》思ひしなるべし。或る時は椽側の日に背を曝《さら》して売残したる洋書を繙《ひもと》き、或時は令嬢令息を敵手《あいて》にあどけなき談話を楽しみながら、庭面《にわも》を逍遥して池なる鯉に麩《ふ》を飼ひ、或時は来客と酒斟《くみ》かはし、或時は鍬《くわ》を手にして家の後なる菜園を耕やさるゝ様如何にも気楽さうなり。先生常に「予は筆を執るよりは鍬を把《と》ること夐《はる》かに好きなり」と言はれたり。

○来客も以前のやうに繁からず、政治家文人極めて稀《ま》れなり。一、二の北海道に縁故有る人、其他旧来の親交ある人々のみなり。就中《なかんずく》田口留七といへる商人、日夜に出入して酒酌みかはせり。こは今度北海道へ同行する筈の由なり。行住《ぎょうじゅう》動作中々如才なき人らしく見ゆ。此人酒量は余り強からざるにや、常に蹣跚《まんさん》として智章《ちしょう》騎馬《きば》の様あり。

「四月」

○貧乏益々甚《はなはだ》し、先生食卓(先生令閨《れいけい》(5)児女《じじょ》(6)と常に一台の円卓を囲んで食事せらる)に向つて盞《さかずき》を挙げて笑つて曰く、大饑饉《だいききん》なるかな、明けても暮れても豆腐のからに野菜《ナッパ》の浸物斗《つけものばか》りは少しひどしと。洋灯持行《ランプもちゆき》し予に向つて、お前等《まえら》随分辛《つら》かる可《べ》けれど暫時辛抱すべし、やがて大金を摑《つか》まんにと。

○朝餐の後召されて至り見れば、「これだ〳〵」と首にかけたる金時計を差出し、又もくるひたれば直しにやらん、どうも度々くるふには困るなアと笑ふ。予も察して受取ながら細君を見れば手には質通帳《しちかよいちょう》を持ちてあり、先達《せんだっ》ては十九円なりしも余りに少なければ丁度にして、成べく五円にても沢山程よしと云ふ。予畏《かしこま》つて馳行《はせゆ》き、談判はげしく試みしも、二十より上かさず、詮方《せんかた》なくそれ丈《だ》け持帰りて出せば、以前は鎖《くさ》りも添《そ》ふてありしが、到頭死刑に処せられぬ。時計だけは度々《たびたび》なれど禁錮《きんこ》にて済むはまだしもなり云々と。此金も焼石に水なり、唯取次ぎし斗《ばか》りにて、其夕には早一厘《はやいちりん》も残らず。三、四日経て、予は老山の書画二《に》幅《ふく》と外《ほか》一幅を肩にして、麴《こうじ》町三番町《まちさんばんちょう》なる古川錸耕《ふるかわてっこう》の宅へとて遣《つか》はされぬ、同氏の周旋にて売却せんことを依頼せしなりき。錸耕は彫刻家にて雅人の交際あり、口訥《くちとつ》にて酒を嗜《たしな》む、性豪快、確かに畸《き》人伝《じんでん》の人物なり。幅《ふく》は中々容易に売れず。

○廿日頃に至りて漸く多少の金手に入れられ、予は家賃其他の借金を少許《すこしばかり》づゝ、或《あるい》は利子のみを諸処へ払ひ廻れり。此等会計は申す迄もなく、一切令閨取扱はる。不足の金額をこゝかしこ程よく配当する工合《ぐあい》、中々骨の折れたるものなり。先生傍に在り、予に向つて笑つて曰く、塵芥《じんかい》一時に起りてはたまらねば、折々少しづゝ水撒《ま》き置く、これ予が家の経済法なりと。

○旅費其他の準備も略々《ほぼ》調ひたれば、近日いよ〳〵北行せらるべしとて例の時計も禁錮《きんこ》を解《と》かれぬ。

○(廿三日)昨夜いよ〳〵当分の別れなればとて、コップを取つて予に与へられぬ。いつお立なさるやと問へば、そはまだ分らず、兎《と》に角《かく》一両日中なり、予はお前の知る如く、いつも其時にならねば分らず、初めより知らすはうるさければ、嬶《かかあ》さへ知らず。令閨微笑して、変な処に勿体《もったい》をつけられしものかなといへば、いや実際にうるさし、往返《おうへん》の期日を予定してこと〴〵しき送り迎ひなど実にうるさし。此様《このよう》なる虚礼なにかせん、予は板垣翁さへ一度も態々《わざわざ》送迎せしことなし。令閨下婢に向ひて予の為にコップを命ず、先生幸徳は飲めるかと問ふ。令閨一合位《くら》ゐは飲まるべし。そは頼母《たのも》し、さらば飲むべしとて、頻《しき》りに強《しい》て予の盃を満たす。体軀《からだ》いためては済まずとて令閨の留《とど》むるを、何一夜《なにいちや》位《くら》ゐにて身体の毀《こわ》るゝ者に非ずとて、飲む程に食ふ程に、耳熱し気昂《たかぶ》りて、令閨とスハマに卓を囲みて談論佳境に入り、文章詩歌のこと、音曲美術の事、社会教育のこと、経済政治のこと、英雄豪傑仁義《じんぎ》釈教無常《しゃっきょうむじょう》の事、持出さぬ物とてなく、果《はて》は例の如く先生杜詩《とし》を吟じ端唄《はうた》を唄ひ騒ぎし後、十一時頃寝《しん》に就《つ》かれぬ。予は先生が敬礼も時による、平等の団居《まどい》なれば酔態を現はして打解けよとせがまれしかども、猶《なお》厳格を持したりしが、元より非常に酩酊《めいてい》し居たれば余程多弁なりしが如し。今朝《こんちょう》に至りて談論のさま詳細には書述べがたし。唯《ただ》昨夜も先生は平生の持論なる、功名心あれ希望あれ楽天的なれと主張して、予の悲哀的厭世的なるを戒《いまし》め居られたり。先生其鍾愛措《そのしょうあいお》かざるネグロ(黒猫の名)に態《わざ》と卓上の物を盗ませ、或《あるい》は手《てず》から肴《さかな》を与へ、打眺めてはさも嬉しさうなるを見て、予は左程に猫が可愛ゆきや、予は大嫌ひなりといへば、先生笑つて、予も少年の頃は非常に憎く幾匹も打殺しては老母に叱られたり、見よ此佞柔陰険而《このねいじゅういんけんしか》も鉄面なる、憎しといへば憎けれど、是《こ》れ其天真《そのてんしん》にして盗みせざる猫はよき猫に非ず、此憎ひ所猫の用ある所以《ゆえん》なれば、是れ猫の罪に非ず、似たるかな今の秘書官一流の人間、彼等が佞柔鉄面《ねいじゅうてつめん》はとても人間のなせることに非ず、予は井《せい》の角《かど》を愛するなり、予は猫を愛するが如く愛するなりと、予が処世の方針など示諭《しゆ》せられし後、お前は文学的の人間、到底官吏などになれる人にあらずと、予答へて然《しか》りされど大臣にはなれる積りなりといへば、大臣には馬鹿でもなれるなり、六《むつ》ケしきは次官書記官の流なり、幾《いく》彼《か》の法律の条項を記すが如きは文学的人間の尤《もっと》も下手なる所、予も大嫌ひなり、幾何《ばく》か先年政府の為に法律書類を訳したれど、今や分厘《ふんりん》も予が脳中に余波を留めず、性好《せいす》かれざればなり。人物論に至つては先生辞を極めて勝房州《かつぼうしゅう》を賞賛せられ、殊に当世に用ゐられざるを憾《うら》めり。予はされど文王《ぶんおう》を待て後《の》ち起るは凡人なり、勝先生にして希有《けう》の人物ならば、自ら進んで其地位を攫取《かくしゅ》し、以て経綸《けいりん》の大策を行ふべきに、他人に用ひられざるとて為《な》す所なきは怪《あや》しむ可《べ》しと。先生曰く、さらば汝は成敗を以つて人を論ずるや、古来幾多の英雄豪傑は皆其技倆《ぎりょう》を試むるに及ばずして埋没せり、是れ其人の罪に非《あらざ》るなり、勝先生も十年には西郷の来るを千秋《せんしゅう》の思ひして待居られしに、期する所違《たが》ひて已が大望も泡《あわ》と消へしより、当時は非常に不機嫌にて、小島龍太郎《こじまりゅうたろう》の如きは、会ふ度にさん〴〵に叱られたり、殊に予は房州の慧眼《けいがん》なるに服す、先年大隈《おおくま》条約の日、勝は陛下の御信任も厚ければ或は御諮問《ごしもん》あるやも知れねば、予《あらか》じめ談じ置く所あるべしとて、後藤の使ひに参りし時、先生は予を見るや否や、また条約の事で老人をイジメに来たのだなと笑ひ居られたり。豪傑といふものは、何となく崇拝の念を起すものなり。予が長崎に居し頃、坂本龍馬に煙草買ひにやられしことあり、まだ少年の心に、何となく此人《このひと》はえらさうな人と信じ居たれば、容易に人に駆使《くし》せられざりし予も、龍馬が土佐訛にて、「中江の兄さんこれで煙草を買ふて来てヲーセ」と頼まれし時には、まめ〳〵しく立ちて使ひしたりと。坂本は如何なる人なりしやと問へば、「先生こんな細き目して頭は此辺《このあたり》黴毒にて禿《は》げ居れり」宗教談より霊魂の事に移りて、予が妖怪などを信ぜざれど、そを信じ度《た》く思へりといひしに、先生予も其傾向ありとて、以前赤坂の蛇池《へびいけ》にて十六、七の娘の無惨に殺されし時、幽霊見たしとて半夜池畔《ちはん》を徘徊《はいかい》せしことなど語られぬ。文学論音曲論は平生語らるゝところを繰返されしに過ぎざりし。

○小児の発育ほど、成人の老いゆくこと目に見へて早からば、社会に立ちて何を為す間もなかる可し。中江の令嬢のおとなび令息の智慧づかるゝさま、二月《ふたつき》も見ざれば驚かるゝなるべし、令嬢の踊りも此頃は余程上達せられたり。今日静《しずか》の道行《みちゆき》踊らるゝを見しに、幽情風致《ゆうじょうふうち》器械的に意味なく動き居らるゝとは見へず、妙なものなり。

廿六年

○六月廿五日先生突然帰宅せられたり。此突然といふことは、先生が往復の例なれば別に怪しむべきこともなし、何か処用の出来しなるべし。大阪へ処用ありとの事、嚮《さき》の手紙にちらと見へたれば大阪行の為めなるべし、多分金策の為なるべし。炎威《えんい》日に加はり来る。折折は外出せらるれど、大抵は家に居らる。依然として金はなし、予が質屋への往復頻繁なり。六月も其儘《そのまま》に過ぎたり。

○七月十日頃よりの暑《あつさ》は格別なり、九十四、五度が常なり。新聞紙上諸方の旱《ひでり》を報じ来る。此頃は総《すべ》て無事、一、二事業家の往復するのみ、事業は矢張牛の這《は》ふやうに進み居るなるべし。外出せらるる先は何処かしらず、朝五時頃、常に予が下女の為に打起せられて椽側に出し時は、令閨は蚤《のみ》を取り居り、先生は寝床に其日の新聞を閲《えつ》せらる。朝餐後は或は外出せられ、或は来客に接し、さなき時は書籍を見、午後一時二時頃より炎暑烈《はげ》しければ、ねころびて書見せられ居りては直ぐに午睡《ひるね》せられ、二、三十分して目覚め、ふら〳〵しては又ねころびて書見す。其間の楽しみは池の鯉《こい》なり、池には緋鯉《ひごい》黒鯉沢山にて随分大きなり、人の足音を聞けば直ぐに集まり来る。令嬢と令息とを伴ひ、これに麸《ふ》をやりて楽《たのし》まる。此頃は大抵毎日二時三時頃、赤条々《せきじょうじょう》になりて令息を盥《たらい》に載せて池の中を押廻《おしま》はして喜び居らる。間々《あいだあいだ》には矢張り書見せられ居れり。（上り来て井戸側に行き、金《かな》つるべにて頭から水を浴《あび》る、日に再三なることあり）

○晩餐後は椽側に端居《はしい》して涼風を迎へ、令閨及予が侍座《じざ》するに向つて、九時十時頃迄よもやまの物語せらる。四囲の樹木の黒く立てる、星斗《せいと》の燦爛《さんらん》たる、雲の月を吐く、鯉の跳ねる音、皆先生が談話の種なり。天体の事、地理の事、社会の事、経済のこと、政治のこと、文学のこと、美術の事、理化の事、英雄のこと、美人のこと、諄々《じゅんじゅん》として説来《ときき》たる。或《あるい》は月を踏んで夜中に歩《ほ》し、夜を賞す。予は毎夜「さがのや主人」「味気《あじき》なし」中、納涼の一節の妙真に迫れるを想起せり。先生が夜に対する観念は、曰《い》ふ、夜は如何にも雅《が》なるものなり。昼は極めて俗なり、月は雅なり、日は俗なり、総て陰は雅にして陽は俗なり。子の生れたる時程俗なるはなく、人の死したる時は如何にも雅なり。予は多年思ふ、昼は一家皆睡臥《すいが》し、黄昏《たそがれ》に至つて初めて起き、三度の食事を夜中になし、或は散歩し、或は間談して、三十日程やつて見たし、是れ多年の考へなり、そして夜の記を作らば面白からん。葡萄棚の下を歩し、池に臨み月を観ていふ、予は此の景に対して、常に杜甫の、四更山吐月、残夜水明楼〔四《し》更山月《こうやまつき》を吐《は》き、残夜《ざんや》水明《すいめい》の楼《ろう》〕、の句を思出さゞることなし。夏夜《なつのよ》はよし、然れども猶俗なりとて、頻《しきり》に秋夜《あきのよ》の風趣を談ぜらる。

○七月廿八日、出発、大阪へ旅行せらる。

○八月十四日、先生大阪より帰られたり。此頃猶暑し、されど夜分は稍《やや》秋風銀河を吹て涼味あり。先生頻《しき》りに大阪の暑さを説く。謂《い》ふ、大阪の商家の手代《てだい》番頭皆裸体なり、如此《かくのごとき》は東京にて見得《みえ》ざることなり。己れ始め大阪は不作法なるが故なりとのみ思ひ居しが、さにあらず、畢竟《ひっきょう》東都に比すれば暑さの烈しきが為めなるべし。

○梅田なりしか、京都の停車場にて、高貴の人と覚《おぼ》しく、取巻の人数に扶《たす》けられて汽車にのる病人あり。見たやうなる人なりと思ひて、近寄れば陸奥《むつ》なり。「陸奥さんではありませんか」と言へば、中江君かといふ、「かはりにかはり果てたるものかな、余は足下なりとは思はざりし、自身には気がつくまじけれど、此世《このよ》の人とは思はれざるなり」といへば、足下はまたひどく肥《こ》へふとりたるものかなとて、流石《さすが》に己《おのれ》が健康なるを羨《うらや》ましげに眺めたり。われは初期議会に会《あい》し以後見しことなければ、かかる衰弱疲労せられたりとは思ひもかけず、殆《ほと》んど見違へ居たりしなり。さらでも高き顴骨の下、凹入《くぼみいり》て色は其柱の如くなり、とても長くはあるまじと思はれたり。以前よりすかぬ人間ながら、扨《さて》か丶る様見れば気の毒に堪《た》へず、慰めながら種々《いろいろ》談話しける内、己が酒を節し居るを聞きて大《おおい》に賞賛し、自身の病気の為め頻《しき》りに養生の大切なるを語り居れり。「時に光妙寺《こうみょうじ》はどうかして呉《く》れねば困る」といへば「何分《なにぶん》にも政府部内の受けがわるいから、併《しか》しどうにかするやうになるでせう」「彼男《あのおとこ》は余が如き赤切符ではこらへられぬ男なれば」「あなたは赤切符なりや」「この通りなり予は汽車でも汽船でも曽《かつ》て中等以上に乗りしことあらず」といひて下等切符をかざして見せ、相見て大笑したり。彼を取巻けるは秘書官属僚などにや、陸奥より遥かに立派なる美髯公《びぜんこう》等も、微笑して余を諦視《ていし》し居たり。

○一夕《いっせき》例の如く椽側に座して語る。

人間霊魂の事に及ぶ、肉体と精神をもて別箇《べっこ》に解釈するは予は不同意なり。ヒシヨロギーとサイコロギーは到底相離る可《べか》らざる者なり。思へ精神の健全なり活潑《かっぱつ》なると否とは、必ず肉体の健全活潑なると相干《あいかん》するにあらずや、一部の間《かん》の不消化は必ず脳髄の不快を来す。予は以前より信じて疑はず、霊魂なる者は火なり、肉体は薪《たきぎ》なり、薪尽て火滅す、如此《かくのごとき》のみ。肉体を外にして霊魂の決してあるべき筈《はず》なし、余は頑固なるマチリアリストなり。動物胎内に在るの時も其初めは男女の別なく同一体なり、「されば如何にして男女の別を生じ来るや」予は思ふ、母の食物によるならん、例せば信州の養蚕《ようさん》に筑摩《ちくま》河辺《がわ》の砂利《じゃり》多き地の桑を与ふれば多く男蝶《おちょう》を生じ、粘土《ねんど》の桑を与ふれば多く女蝶《めちょう》を生ず、「然らば如何なる食物を用ゆるべきや」それ迄は余は究《きわ》め居らず。

○談ヒロソヒーに及び、易《えき》の人事を窮極せるを説く、されど卜筮《ぼくぜい》のことは余は信ずる能はず。予曽《かつ》て天地万有を思考し、有無の説を講ず。以為《おもえら》く、天地は総て有なり、無なるものあらず。例へば寒は唯熱の稀少なるをいふ、未だ絶対の寒なるものあらざるが如し。真空なるものもあらず、所謂真空なる所にも、一種のエーテルの存するは予疑はず。時と量は垂直に交叉《こうさ》す、天地は一幅の絵画なり。量の白紙に時を揮洒《きさい》す。墨色《ぼくしょく》の薄き処をもて直ちに無なりと断ずる勿《なか》れ、淡きところ、濃きところ、全然墨の届かざる処、併せもて一幅の画なり。而して其白紙、無量無辺の白紙をもつて無なりと断ずるなかれ、若《も》し有の限りあり、無なるものありとせば、又其限りを立てざるべからず。故にいふ、天地は有なり、無は絶対にあらず、有の稀少なる処なりと。

○サイエンスに関する談話は、未曽聞の説を吐かるゝこと多々なり。予も又少しく研究したる上筆記すべし。

これで首尾完結、即ち後年秋水が著作した「兆民先生」の種子本《たねほん》ともいふべきもの。あの著作は恩師を追慕する無窮の悲恨を含み、文章亦已《すで》に一家の風格を具《そな》へた後の筆に成り、今にして之《これ》を読み直しても、真情惻々《そくそく》として人を動かす佳篇なるが、材料は多くこの日記から取つたやうである。若しそれこれを註釈批評して、兆民秋水師弟二者の契合交感《けいごうこうかん》を叙述せば、必ず一篇好箇の読みものを作り得べく、余の意亦《また》久しくこれに在《あ》りと雖《いえど》も、今後如何なる機会に成就《じょうじゅ》すべきや覚束《おぼつか》ない。今茲《ここ》にたまたま蘇峰先生七十回誕辰《たんしん》祝賀の記念出版の発起され、余も亦《また》幸ひにして一文を徴さるゝに迨《およ》び、無端《はしなく》この物に想到して、これを篋底《きょうてい》に索《もと》めたのであるが、已《すで》に余に課された予定の領域を超過して、意外の冗文《じょうぶん》となり、これが此儘《このまま》編輯者に採納さるゝや否やも気づかはれるから、幾多言ひたい事、書きたい事は、総てこれを他日に留保する。

（蘇峰先生古稀祝賀『知友新稿』昭和六年、民友社）

（小泉策太郎『懐往時談』昭和十年、中央公論社）

小文

故中江篤介君の葬儀に就て

大石正巳《まさみ》君演説(1)

御会葬の諸君に申上げまするが、中江篤介君が遺言《ゆいごん》に依りまして一切神仏の儀式を廃して呉《く》れと云ふことであります、就《つい》ては門人又《また》は知己《ちき》朋友《ほうゆう》は、余の死したる際には相集つて酒でも飲んで別れて呉れと云ふ遺言でありました、然《しか》るに今日茲《ここ》に君の終《おわり》に臨《のぞ》んで、公に諸君と共に茲に相集りまする所以《ゆえん》は、素《も》と中江篤介君は普通一般私《わたくし》に此《この》世の中を生活した人ではない、生れて死に至るまで其《その》脳力の有らん限り又自分の手腕の続く限は、国家の為に尽されて如何にも瞑するに至るまで、国を愛し国を思ふので実に報国の人でございます。

故に此終《このおわり》に臨んで知己友人相集つて此死を痛み又国の為めに此人の死を惜むと云ふ

ことは当然のことであらうと思ひます。それで今日茲に相集りまして知己朋友門弟は此屍骸《しがい》を置いて、詩文を賦《ふ》し又以《もっ》て其遺族を慰むることもあらんかと云ふ考で、此《かく》の如く相集りました次第であります。

中江篤介君の名を聞けば、忽《たちま》ち非常極端なる感想を浮べる人が往々世の中にはあらふと思ふ、中江君を知らざる人の間には如何にも偏屈奇人の如き感想を抱かるゝ人もあらうと思ひます、然るに君は決して非常極端に非《あら》ず、却《かえっ》て社会世の中は君より遠ざかつて居るのである、又君は決して偏屈奇人に非ずして却て世の有様は偏屈奇人の多くあるのではないかと考へる、然れども又君の行動に於《おい》て普通一般に斯《かか》る感想を起す所以《ゆえん》は何故であるかと顧みて見ますれば、其故《そのゆえ》なきにあらず、即ち専制抑圧の政が行はるゝに当つて自由民権の大義を執りて大《おおい》に之を攻撃し、又官尊民卑の盛なる時に方《あた》りて自由平等の論を唱ふ、是即《これすなわ》ち世間一見して其距離の遠きに驚いて、或は此《かく》の如く非常極端と云ふ感想を起すであらう、抑《そもそ》も君は此貴族的階級を非常に排斥《はいせき》せられ、貧富平民的平等の説を唱《となえ》られて、曽《かっ》て此天下の弊を矯むる為めに新平民と伍《ご》しても此悪弊《へいた》を矯め世間の堕落を矯めんとすることを努められました、君の非常極端と云ふことは其時世に適切なるものではないか、天下の極度の悪弊を矯むるには最も有力なる点であらうと思ふ、而《しか》して君は終始一徹一の慾心なく一の望む所なく、帰する所は国家の為め、国を愛し国を思ふと云ふ一念に外《ほか》ならぬ行動をされて居る、世間は或は君の思想を以て、君の為す事を以て偏屈奇人なる如き感をなすものありと雖《いえ》ども、是は大《おお》いに誤《あやま》れるものであります。君は此愛国の念、国を思ふの念に駆られて、君の本領とせらる丶学問の立場を離れて、一時政界に身を投ずることに至りました。元《も》と君の帰する所は、国家の境域に限《かぎり》あり人の数に限あり時勢に限あると云ふ範囲に、我《わが》脳力を尽して働くと云ふことは、是は狭量なるものである、世に限なき土地に限なき、時代に限なき天地に、我脳力を働かして、国家の為めに全力を尽すの大志を樹《た》てられた人でございます。次に常に好んで哲学を研究し、宇宙万象を攬《と》りて之を材料とし、人世《じんせい》の真理を発明して、以て国に尽し人類に尽すと云ふことを義務とせられたる本領を樹てられて居る、然《しか》れども君の国を愛するの熱情は目前の我同胞の堕落国家の悲境を見て、之を棄《す》つるに忍びず一時身を政界に投ずるに至りました。其政界に於ける君の言動と云ふものは復《また》是れ一種世間の普通の行動に離れたる説を唱へ、或は其離れたる所の行動をされたのである、君の常に曰く、平易にして得たる自由民権政体と云ふものは決して良好果を奏さぬものである、艱難辛苦《かんなんしんく》を経て得たるものにあらずんば決して其美果を顕《あら》はさぬと云ふ説、を唱へて居つたが、果せるかな、稍〻《やや》君の先見は当りはせぬかと云ふ事実を、往々世の中に発見すること多いではありませぬか。又国会の開くるに臨んでは、籍を議員に一旦寄せられましたけれども、遂に此国会の無能腐敗を嘆ぜられて、或《あるい》は「アルコール」中毒云々と云ふことを以て議会を退かれたことがある、即ち此「アルコール」中毒なる語は、世の腐敗と同僚の意気地ないことを慨嘆せられて、同僚を戒《いま》しめ世を諷する為めに此《かく》の如きことをせられた、而して世の益〻非なるを感じ、是非とも此政界の大刷新を計らなければならぬと云ふ観念よりして、君は大に内に政界の刷新を計り外に国力の伸張を期せられて大に経綸せらるゝ所があつた、然れども此世の愛国者たる者は、いつでも大概不遇のことに終つて、自ら世を愛し国を愛し世の為めに国の為めに謀《はか》ることは、却て世の為めに顧みられず、国の為めに愛せられぬと云ふのは、古今其例も乏しからぬことでございます。即ち君の生涯は国の為めに尽されたのに、国は君を顧みることはなかつた、君は五十年の間国家の為めに一身を犠牲に供した、一点の慾心なし、一点の名誉心を持せず、悉《ことごと》く我心力《わがしんりょく》を捧げて国家の為めに尽されたけれども、国は君の為めに報《むく》ゆる所なかつたと思ひます。此点から見ても、国と云ふ立場から、君の死に臨んでは一点の情を生じ憐《あわれみ》を生じて然るべきことではあるまいかと考へます。斯《かく》の如く君は大志あれども其目的を達するの資力に欠けて、已《や》むを得ず又身を一時実業界に投ぜられた、是は決して君の本心でないけれども、又世に大に飛躍せんとするには資力を要することは勿論であります。君の如きは赤貧《せきひん》洗ふが如く、一の資力のない故に実業界に身を投ぜらるゝに至つた、此時最も我々を感動せられたことがある、其時君が所謂実業界に入つて錙銖《ししゅ》の利を集めて富を為すと云ふことは、一錙《し》集つても二銖《しゅ》集つても、殆《ほと》んど目的を達することが出来ない、然らば一攫千金《いっかくせんきん》の目的を定めて前の目的を求むることに努めなければならぬ、即ち此得た所の金を以て国家に尽すの目的である、然らば多くの日月を要さなければならぬ、就ては唯一の楽《たのしみ》として居る所の酒を廃さなければならぬと云ふことを感ぜられた、酒を廃すには命を惜むに就てゞある、国の為に尽すには一日でも命を延べなければならぬ、其命を延べると云ふ方に向つて酒を禁ぜられましたのである、世には禁酒と云ふこともございますが、唯《ただ》一身の為めに禁酒すると云ふことさへむづかしいことであります、然るに君は禁酒するに当つて爾後《じご》一口も口にしたことがありませぬ、此心と云ふものは可愛らしいではありませぬか、即ち実業界に依《よ》つて其資金を得て、其資金に依て国の為に尽すには其日月は長きを要する、長きを要すれば其為めに健康を保つて往《ゆ》くことを要すると云ふことだけはしなければならぬと云ふので断然として酒を絶たれた、爾後飲食を共にするに当つて一口も之を口にしなかつた、其後君が実業界に入るに方《あた》つて曰く、爾後実業界の目的を達するに至り再び政界に帰るまでは口に政談を語らず、足政治家の門を踏まず、是だけの事を誓つてやるのであると云ふことでありました。それは至極結構のことである、其積りでなければならぬ、実業界に入つて傍《かたわ》ら政談をすると云ふやうなことではいけない、それでこそ宜《よ》いと私は甚だ感じた、然るに其後朝鮮の事あり支那の変あるに当りて、君は屢〻《しばしば》私の宅に来られた、さうして其談ずる所其述ぶる所の経綸は悉《ことごと》く政談である、それで私は大に中江を罵つて、曩《さ》きに約する所誓ふ所は何事であるか、所が君の曰く擂半鐘《すりばんしょう》を鳴らし近火を報ずるときはどうであるか、誰人と雖《いえ》ども必ず門外に飛び出し、或は屋上に駆登つて、何れに火災があるか之を見やうとする、中江篤介の頭脳には国事と云ふもの丶出来事、特に外交的の変を聞くことは殆ど脳髄に擂半鐘を感ずるが如きの感をする、如何に政談をせざらんことを欲するも、国を愛するの熱情之を廃することが出来ぬ、此《かく》の如く答へられたことを記憶して居る、此中江君の国を思ふ、国を愛する、国に尽すと云ふこと、此精神と云ふものは又情《じょう》として如何にも愛すべきことではないか、又中江君の心情は如何にも感ずべきことではありませぬか。斯《かく》の如くして国に尽されたる中江君が中途其目的を未だ達せざるに当つて不治の病を得、此時に方《あた》りて君は其起たざることを知つて、如何に其後瞑目《めいもく》する迄の間如何なることをしたか、忽《たちま》ち本領に立帰つて、学者の立場よりして筆を執り、此哲学上に於ては一種の光輝を放された、世には唯区々《ただくく》として書物を弄び、其時の国情に投じて之を衣食の料に供する人は多々ありますが、真に万世《ばんせい》に伝はれんとする真理の発見、一種の学術社会に新規の説を発せられんことを期せられたと云ふのは如何にも之は後世の人を導き、惰弱《だじゃく》の人の心を啓発し、大《おお》に学界に於て之を啓発する先導を与へられたものである、又其筆を一方に向つては飽《あく》まで も国事を憂《うれ》へて政治界の痛撃をなされたのである、而して常に其力の有らむ限り腕の働かむ限り、死に至るまで筆を絶たざりしと云ふことは、如何にも国の為に身を忘るゝと云ふ点は、誠に我々敬服の至りであると考へます。此の如くに君は国を愛し世を憂へた、然るに世は君を愛せず君を顧みぬ、古今往々愛国者と云ふ者は此の如く不遇に終るものである、却つて国を愛する人が国の為に終り国の為めに罰せらるゝ、其国の為めに終り国の為めに罰せらるゝを以て一点の恨みを挟まぬ。尚《な》ほ国を愛し国を憂へ国の為めに尽す、其心情の実に清潔にして如何にも可憐の点に於ては寔《まこと》に諸君と共に君に死を惜まざるを得ぬのである、で此の如き所より見れば如何にも君は其大志を抱いて、甚だ不遇の境遇に終られたことでありまするが、然るに眼を転じて君の本領より之を見れば又大に慰《い》すべきことがあらうと考へまする。成程君は赤貧洗ふが如くにして衣食も尚ほ充《み》たざる境遇でありましたけれども、一面より之を見れば、亦君の精神を喜ばしむる所の財産には頗《すこぶ》る富まれたことである、何故なれば快楽の与ふる所の――最大快楽を与ふる所の材料は、宇宙万象を以て之を哲学研究の材料に供すると云ふのは最大快楽である、此点を見れば、一面に於ては世界有数の財産家であつたと言はなければなりませぬ。而して此君は、人となりや実に単刀直入にして思ふ所を言ひ、又為さんと欲する所を為すと云ふ点に於て、我邦の実に絶品であツたと思ふ、往々世の中には慾心に依《よっ》て働く、名誉心に駆られて動くと云ふのは是は普通の人情である、けれども中江君に於ては一点の慾心がない、又一点の名誉心を得やうと云ふことはない、而して此虚飾を排斥し、貴族的総《すべ》て此事実に悖《もと》ツた婉曲なることを頗る嫌はる、面《まのあ》たり自分の気に入らぬ所はそれを言ひ、又人に対しても其人の欠点を顔を動かして論ずる、然るに人は中江君を怨《うら》みたることなく、中江君を悪《にく》んだ者がない、是れ畢竟《ひっきょう》中江君は徹頭徹尾私心がない私慾を求むる所がないから、中江君の言ふ所は直言であつても、中江君を怨み悪《にく》むと云ふ人はない、却て中江君を愛すると云ふ情念を深くするだけでありました。従来此世の中には国を使ふて己《おのれ》を利する者があるが、己を空《むな》しうして国に尽すと云ふ気風は誠に乏しい、君の如きは実に始終一貫して国の為めに尽され、遂に其死するや自分の身体を以て医学会の研究の為めに其解剖の遺言をせられた、死に至るまで尽す人があるが、死んだ後にも尚《なお》国の為めに尽す、学術界の為めに尽すと云ふ人は実に稀《まれ》なことである、世の中には富貴にして身分あり人世の間に功を為す人が、多分は死んだ後も其身体と云ふものを勧《た》つて、中々此解剖をさせるなどと云ふことはむずかしいことである、君は惜気もなく死すれば忽ち之を病院に持つて往つて、自由に解剖をして、世に益する所があれば幾分なりとも世の為めに之を解剖せよ、それで此主治医を初として其意見を聞かれて居ツた国手《こくしゅ》は大に其心を嘉《よみ》されて、さうして死する翌日速かに解剖をせられた、其解剖の結果に依つては、承はる所に依れば余程医学界に得る所があつたと申されることであります。而して又君の遺言には其点までは含まれなかつたけれども、局部の解剖をしてどうも是は一種偉人であつたやうに思ふが、脳髄の解剖は如何かと云ふ医者の相談がありました。親戚朋友共にそれは望む所でありまして、中江の心にはそれは適《かな》ふと云ふのでどうか何処なりと十分解剖をされたらよからうと云ふことで、脳髄の解剖をせられた所が、其脳髄の解剖結果に依りました所では、一種果して異様の脳髄を持たれた、我々素人には分かりませぬけれども其学術界即ち医学界の御話を承はりまする所に依れば、余程脳中の仕組が異つて居る、異つて居ると云ふ点は非常なる智識非常なる記憶力を持つて居る人の脳髄の組織の、是迄の経験に依る所にはさう云ふ組織になつて居る、其分量其大さを更に模造して、列国医学会にも参考の為に之を贈らるゝと云ふことになつて居るさうであります。此の如く中江君の国の為めに尽され、学術界の為めに尽され、生きては身を以て働かれ、死しては死骸を以て尽されると云ふことに至つては、如何にも中江君の一種独特の其働きは、是は国家の為めに感謝する所であらうと考へます。聊《いささ》か此別《このわかれ》に臨んで自分の感ずる所を述べます。

（『兆民先生』に附録で収載）

夏草(泉州紀行)

其一

予は泉州堺《せんしゅうさかい》に滞在して居る恩師中江兆民先生の病を問ふべく、八月二日の夜汽車に乗り、翌日午前梅田に下りた、回顧すれば予が先生に従つて大坂に居たのは、実に今より十三年の前である、当時恰《あたか》も保安条例発布の後で、東京が一挙に人物の空虚となつたと同時に、大坂は忽《たちま》ち政界の中心となり、幾多の志士論客が言論、集会、出版其《その》他の運動の為《た》めに唯一の舞台となつた、「東雲《しののめ》新聞」には中江、栗原、江口あり、「関西日報」には末広、森本(駿)、矢部あり、「大坂公論」には織田純一、「経世評論」には柴、池辺といふ面々が、皆《み》な侃々諤々《かんかんがくがく》の筆を揃へて時の政府を攻撃し、其《その》勢ひ中々盛んなものであつた。

夫《それ》が今では如何であろう、或《あるい》は中道志《ちゅうどう》を齎《もた》らして鬼籍に入つた、或は全く専制政治家の奴隷となつた、予は梅田から中の島に至るの間に於《おい》て、深く「夏草や強者どもの夢の跡」の感に堪《たえ》なかつた。

併《しか》し形而下に於《おい》ての大坂の進歩は、水道に於ても、電話に於ても、東京語の混和に於ても、下女の髪が昔しの如く判別せられないのに於ても明らかに認められる。

殊に梅田停車場《ステイション》の新築の規模宏壮なのと便利なのは、確かに刮目《かつもく》すべき価がある、是《こ》れに比べれば、新橋の停車場なぞは、其見すぼらしいこと、実に燐寸箱《マッチばこ》同然と言《いっ》てもよい。

午後に友人村松柳江《りゅうこう》君を朝日新聞に訪問した折、同社の建物工場等を瞥見するの機会を得たが、総《すべ》ての設備の完全なのには、東京の諸新聞恐らく一も比すべきものはないと思つた、是れだけ完全な設備があつて、其割合ひに新聞の紙面が不完全なのは何故か、といふ疑問が直ちに起つたが、此《この》疑問は直ちに解釈しない方が花かも知れぬ。

大坂の人力車の幅は依然として東京の半分しかない、是は市街の幅が非常に狭いからであらう、そして膝掛の巾が漸く女の前垂《まえだれ》位で、夫も大抵は掛けずに敷《しい》て置くやうだ、是は東京の如く塵埃《じんあい》が立たない故であらう。

兎《と》に角《かく》市街の狭いのと、市中の家屋の一般に風通しが悪いのと、庭がないのと、樹木がないのとで、暑中は釜で蒸されるやうだ、だから普通の商家は、男は襦袢《じゅばん》に褌《ふんどし》ばかり、女は老若の区別なく一同に諸肌《もろはだ》ぬぎで、平然として店頭に坐つて居る、東京ならば直ぐと風俗改良家の御厄介になるべき所だ。

御方便なことには、庭と樹木のない代りに、何処でも一歩を出れば直《す》ぐに河岸地だ、五、六十銭を投ずれば船一艘《そう》、船頭付きで、夜十二時まで大川を遭廻《こぎまわ》らせる、是が大坂市民が暑中に於ける一条の活路である。

予も「政友新聞」の吉弘君、「万歳《ばんざい》新聞」の山本君に誘はれて、其夕一葉を浪華橋《なにわばし》の辺に浮べたが、聞しにも似ず、川の面は意外に寂寥《せきりょう》で、糸竹《しちく》の音も物売の声も甚だ尠《すく》ない、時々打上る煙花はあれど喝采の拍手もない、是は今度の恐慌の結果で、脳中算盤《そろばん》ばかりの上方《かみがた》人は、納涼どころではないのださうだ、其雑閙《ざっとう》しないのが予等に取ては却《かえっ》て勿怪《もっけ》の幸いで、清風明月の下、一壜《ひとびん》の麦酒《ビール》に陶然とすれば、実に羽化登仙《うかとうせん》の思ひがあつた。

其　二

「東雲新聞」の盛んな頃に、曽根崎の中江の家へ出入した酒屋で小塚といふのが、今は中の島に小さな旅店を開いて居る、予は取敢《とりあえ》ず其家へ行つて見ると、楼上に兆民先生が「冰霜皎潔《ひょうそうこうけつ》」の四字を大書した額が掛つて居た。

是は予にも見覚えがある、憲法発布せられた際、先生が滋賀へ行つて故中井桜洲《おうしゅう》君を京都の祇園町へ引張り出し、徹宵《てっしょう》痛飲した揚句《あげく》、帰宅すると其儘《まま》大酔の裡《うち》に揮洒《きさい》したのである、書体如何にも飄逸俊邁《ひょういつしゅんまい》、当時沖天《ちゅうてん》の意気が想はれる。

此家に予の同県人故宮崎夢柳《むりゅう》君の詩が一、二枚残つて居る、彼の「自由の灯《ともしび》」に「自由の凱歌」といふ標題で、ギユーマの「テーキング、バスチール」を翻訳し、東都の文壇を風靡《ふうび》した一代の奇才も、今は殆ど何人《なんびと》の記憶にも存して居まい。

堺、市《いち》の町《まち》の兆民先生の寓居に汗を拭き拭き駈込んだのは、四日の朝八時頃である、広い縁側の毛布の上に、先生両膝を抱へて蹲踞《うずく》まり其切開した喉仏《のどぼとけ》の処へ、令閨《れいけい》が布《ぬの》片《きれ》を宛て丶居る、予は見るから胸が塞《ふさ》がるのを禁じ得なかつた。

其容貌は去三月《さる》の末に東京を発《た》たれた時と、左程《さほど》の変りは見えないで、元気少しも衰へず、快談平生の如くであるが、頸部《けいぶ》の腫物《はれもの》は既に気管を圧して居る、呼吸は僅かに喉頭の切口から成されて居る、そして先生は莞爾《かんじ》として数帖の半紙の草稿を取出し、是れが学者の本分として、社会と友人への告別、又は置土産だ、死《しん》だら公《おおや》けにしろと言つて示された。

廿一年の暮だつた歟《か》、先生が「茫々守歳浪華津、賈豎群中寄此身、酒腐肺腸気還壮、論拘条例筆愈神、欧編漢籍課門客、鶏羹黍飯供老親、海内交遊近何状、百年我是半閑人」〔茫々《ぼうぼう》として歳《とし》を守る浪華《なにわ》の津《しん》、賈豎群中《こじゅぐんちゅう》此身《このみ》を寄《よ》す、酒《さけ》は肺腸《はいちょう》を腐《くさ》らすも気《き》は還《ま》た壮《そう》、論《ろん》は条例《じょうれい》を拘《とら》へて筆《ふで》は愈神《いよいよしん》、欧編漢籍門客《おうへんかんせきもんきゃく》に課《か》し、鶏羹黍飯老親《けいこうしょはんろうしん》に供《きょう》す、海内交遊近《かいだいこうゆうちか》ごろ何《いず》れの状《じょう》ぞ、百年我《ひゃくねんわれ》は是《こ》れ半閑《はんかん》の人《ひと》〕といふ詩があつた、今や此炎暑に際し、此難病を抱き、座には一冊の参考書もないのに一たび紙に臨めば滔々《とうとう》として数千万言、天馬の空《くう》を行く如くなるのは、真に「筆愈神《ふでいよいよしん》」なる者で、只嘆服の外《ほか》はない。

併し先生の病気と草稿に就ては今は多くを言ひ得ない、それは他日の機会に譲るとして、扨《さ》て先生令閨《れいけい》及び十三になる令息(1)との四人で、四方山《よもやま》の談話をなし、久し振の昼餐を共にすることを得たのは、心配の中にも頗《すこぶ》る愉快であつた。

午後に令息に伴はれて浜辺へ赴き、海水へ飛込んで一時間ばかりジヤブ〳〵やつて返つて見たら、先生の前に菅野道親《かんのみちちか》の名刺があつた、只だ今見舞に立寄つたとのことである、其翌日の大坂の新聞に、菅野が来たのは高島子と大井君の使のやうに書てあつた。

先生の住居は中々広く、庭には池あり、大木あり、花崗《かこう》の灯籠あり、沢山の飛石《とびいし》があつて、そして全体に苔蒸《こけむ》して居る、今は余程荒《あれ》ては居るが中々数奇《すき》を凝《こら》したものだ、所が面白いのは、此家の床下に三匹の古狸が住んで居る。

此狸は堺近傍で有名なもので、牡《おす》は茂吉《もきち》、牝《めす》はお三津《みつ》、其子《その》は梅若《うめわか》と名《なづ》けられて居る。冬は床下に引込で居るが、夏は海水浴の旅館や料理屋が繁昌で、食物が沢山だから、大抵海浜へ稼ぎに出て、時には浜寺《はまでら》辺まで徜徉《うろつ》いて居るさうだ。

茂吉とお三津は既に三百年も経て居て眷属《けんぞく》も多いから、食物には窮せぬが、其子の梅若は年齢も若いから、食物をやつて呉れといふ頼みだそうで、毎日縁の下へ食物を差入れる、彼等は以前は随分悪戯《いたずら》が激しくて、今でも下女などは、夜は自宅に帰つて寝ることになつて居る。

併し狸先生此頃は大抵不在で、時々返つて手水鉢《ちょうずばち》の水を飲《のん》で居ることなどを見受るが、少しも悪戯はしなくなつた、予は令息に誘はれて離室の裏庭へ行《いっ》て見たら、少《ちい》さな祠《ほこら》の前に、茂吉大明神、お三津大明神、梅若大明神といふ一尺ばかりの幟《のぼり》が幾本も立つて居たのは大愛嬌だ。

其　三

折角《せっかく》来たのだから、涼しい内に妙国寺《みょうこくじ》でも見てお出なさいと、令閨に勧められて、五日の朝、借着の浴衣を其儘に飛出した。

堺の街衢《がいく》は勿論《もちろん》狭いが、整然たること碁盤のやうで、其軒並の善く揃つたのは、関西地方でも稀に見る所ださうだ。一見した所で、流石《さすが》に足利織豊時代に於ける繁華の様が想はれる。

妙国寺の縁起を今更説くでもあるまい、例の信長が我を折つたといふ蘇鉄《そてつ》も、眼もなければ口もない、矢張只《ただ》の蘇鉄だが、成程古い、成程大きい、古いと大きいだけで名物たるの価値は有ると感心して、扨《さ》て小僧の案内で、種々の書画骨董、換言すれば難有《ありがた》い宝物を拝観した。

何時《いつ》見ても気持の善いのは、僧日蓮《にちれん》の肖像だ、彼が炎々たる俠欲《きょうえん》覇気は、実に其軒昂たる眉宇《びう》、炯々《けいけい》たる眼光に燃えて居る、其左右に在る日朗《にちろう》、日像《にちぞう》の輩、皆《み》な走《はしり》て且《か》つ僵《たお》るといふべき様だ、此処《ここ》の日蓮は慥《たし》か日重《にっちょう》の筆であつた。

日蓮は予が平生最も崇拝する所の一人である、見よ、彼《か》の血性、彼の剛胆《ごうたん》、彼の精力、彼の識見、彼の才智、彼の信仰は、真に一代の改革者たるべき資格を十分に具備したものではない歟《か》、彼が一天四海皆帰妙法《いってんしかいかいきみょうほう》の旗を掲げて、念仏無間禅天魔《ねんぶつむげんぜんてんま》を絶叫し、難戦苦闘を続け〳〵て、遂に天下を風靡《ふうび》した歴史は、如何に壮烈なものではない歟、併し茫々《ぼうぼう》七百年の星霜は、今や此血性の男児と壮烈の歴史とを以て、一の骨董、一の宝物と化して仕舞つた、妙国寺の玄関には、日蓮の弟子たる僧侶が、蘇鉄の葉を挿した花簪《はなかんざし》を一本二銭で売《う》て居る、提婆品《だいばぼん》の女人成仏《にょにんじょうぶつ》の本願を遂げる為めかも知れぬ。

本堂の横手に出れば、一個の木標と数本の卒塔婆《そとば》は、土州の志士箕浦元章《みのうらもとあき》君等が割腹の跡を示して居る、其向ふの茶店には、彼等が用ひた、所謂《いわゆる》血染の三宝《さんぽう》を並べて在る、当時見物の洋人に投付けたといふ三宝は、縁《ふち》がバラ〳〵に壊れた儘《まま》で、臓腑を摑出して置たといふのは、一面に赤黒くなつて居る、其他大抵血潮の迸《ほとばし》つた痕の斑々《はんはん》たるのは、如何にも凄愴《せいそう》の感を惹《ひ》く。

予は一意《いちい》洋人を憎悪した彼等を以て、英雄とも言はず、偉人とも呼ばぬ、併し彼等は真面目なる志士であつた、至誠であつた、赤心であつた、そして此三宝に濺《そそ》いだ淋《りん》漓《り》の血潮は、確かに維新大業の幾部を培《つちか》ひ成《な》したのだ、然《しか》り、志士の血潮は古往今来《こおうこんらい》、改革の絶好肥料で、是でなければ到底立派な改革は出来ないのだ。

祥雲寺《しょううんじ》、俗に所謂《いわゆる》松寺で、秀吉遺愛の五葉の松を拝観した、中々大きな盆栽だつた。

同伴した中江の令息が、餅を買ひたいといふので、大寺《おおてら》の名物餅屋に立寄つた、大寺といつても寺ではない、開口《あぐち》神社といふ神様の境内で、餅屋の店は、ちよいと浅草の紅梅焼《こうばいやき》といふ体裁である。

店の前には黒山のやうな客で、大勢の職人雇人は、餡《あん》や団子を拵《こしら》へる傍から、竹の皮へ包んで投出して居る、真に目の廻る忙《いそ》がしさだ、左程《さほど》に古い家ではないが、味の美《よ》いのが呼物で、一日の売上げは二百円以上だといふ評判だ、だから堺の住民は、高野《こうや》鉄道の収入は、大寺の餅屋にも及ばぬなどゝ、言《いっ》て居る、蓋《けだ》し此地で第一等の名物だらう。

此日の午後に堺を発《た》つた。

（『万朝報』明治三十四年八月十四・十六・十七日、『兆民先生』に附録で収載）

小山久之助君を哭す

「拝啓三、四日来猛烈なる病勢を以て攻撃せられ、力支ふる能《あた》はず、遂に昨廿日を以て赤十字病院へ逃籠《にげこも》り候、爾来《じらい》御用も有之候《これありそうら》はば病院へ御申越被下度《おもうしこしくだされたくそうろう》候、草々、小山久之助」と書《か》いた端書を受取たのは、八月廿一日の夕であつた、嗚呼《ああ》此一片の端書も、今は返らぬ人の貴重なる遺物となつた。

其《その》翌々日病院へ尋ねて見たら、苦痛は余程酷《ひど》かつたやうだが、元気は少しも変らない「君、死ぬやうなことは有るまいね」と問ふたら「夫《それ》が問題だ、多分死ぬかも知れないが死ぬほど気楽なことはないさ、一切の責任も厄介も皆な他に押付けて、先へ行くのだから、不運な奴が後へ残るんだ」と言て一向平気であつた、夫から四、五日目位《ぐら》ゐに行て見ると、其度毎《そのたびごと》に痛みは存外薄らいだが、体軀《たいく》と容貌は益《ます》す衰へて、死の極印《ごくいん》は正に面上に捺《お》されて来た。

九月十日に恩師兆民先生が帰京したと聞くと、彼は会ひたさが込上げて、矢も楯も溜らなくなつたと見え、医師の制するのも聴かないで、十五日頃であつたか、アノ重病で、渋谷の病院から小石川の奥まで車を駆つた、夫から病勢は急に進んだ、余は之を聞て覚えず落涙を禁じ得なかつた。

彼は実に多血多感の人物であつた、其真率《しんそつ》、無邪気なることは真に小児の如くであつた、予は思ふ、世に誤解せられたものは多いが、凡《およ》そ彼程誤解せられたものは有るまい、世人は、彼が十三議会に小山田某から金を取たといふの一事のみを見て、如何なる苦心と血涙とが其裏面に存して居たか、如何なる動機が彼をして、其名誉と信用を抛《なげう》つて、好んで人身御供《ひとみごくう》とならしめたかを見たのは有るまい、而《しか》して彼が自由党全盛の時代から後藤、大隈、板垣などの間を往来して、民権拡張、藩閥打破の大目的の為めに、如何に惨憺《さんたん》の経営を為し来つたかは、知る者殆ど稀《ま》れである、是は彼の云為《うんい》が尽《ことごと》く功名でなく利慾でなく、唯《た》だ其熱血の迸《ほとばし》るに任せて、小児の如き直情一往、不名誉も不信用も、逆境も貧乏も、少しも省みなかつたが為めである、兆民先生が「一年有半」に「滔滔《とうとう》今日の濁流中に在《あり》て、之子《これし》の如きは純粋愛すべき者」と書たのは、実に彼の一幅の写真である。

余は其後、彼に向つて、「君が関係した政界の秘密を洗ひざらひ書残して置てくれ」と勧めたら、痛みがなくなれば速記者を呼《よん》で書かさう、序《ついで》に是も翻訳する積だ」と言て、セーニヨボー(1)の「欧洲近世史」を枕の下から出して見せた、が併し最《も》う遅かつた、数日を経て去廿五日には病室前に面会謝絶の札が掛つて居た、余を見ると辛うじて起直つて、廻らない舌を動したが、「先生(兆民先生)は如何《どう》か」、「書物は沢山売れたらう」「小石川(兆民先生)へ行たら小山も病勢が進んだと言てくれ」といふ丈《だ》けが漸く聞取れた、是が余の最後の訣別で、尚《ま》だ一週位ゐはと思つたに、三日の東雲山《しののめさん》王《のう》の森から白んで、朝露しげき弁慶橋畔《べんけいきょうはん》を、彼は屍骸となつて運ばれて居た、享年四十三歳、是からといふ齢であつた。

(『万朝報』明治三十四年十月六日、『兆民先生』に附録で収載)

兆民先生三周年

十二月十三日、是れ兆民先生逝けるの日也、嗚呼《ああ》其音《そのこえ》猶《な》ほ耳に在り、其容《そのすがた》仍《な》ほ目を去らざるに、三年の春秋は早や夢と過ぎて、又《また》此月此日に会ふ。

去年先生の令閨《れいけい》に謁して、「平民新聞」創刊のことを告ぐるや、令閨泫然《げんぜん》として曰《いわ》く、故先生在《いま》して御身等《おんみら》のことを見玉はゞ、嘸《さぞ》や喜び玉ふべきにと、言畢《おわ》りて情に堪へざるが如し、予亦《また》黯然《あんぜん》答へ得ず、遂に相対して泣けり、嗚呼吁嗟《ああああ》……真に懐を為し難し。

然《しか》れども今や亡し、先生の骨肉血毛今や微塵となれり、彼等を組織したりし十余の元素は四散して茫乎《ぼうこ》たり、何の処にか先生を尋ねん、何に向つてか先生を祭らん、人生は如此《かくのごと》き哉、嗚呼吁嗟……真に懐を為し難し。

否《い》な先生は死せざる也、先生の感化教育は死せざる也、先生の節義文章は死せざる也、先生の自由平等の大旨義《だいしぎ》は死せざる也、然り千古万古断じて死せず。

疇昔《ちゅうせき》の夜先生を想ふて寝《い》ねず、灯を剪《きり》て先生の遺文を検し、「新平民論」二篇を得たり、是れ十余年前某新聞に寄する者、即ち取て此月此日の「平民新聞」第一頁に掲げ以て紀念に充《あ》つ。

今の学者政治家貴族富豪、習慣に役せられ階級に縛られ、死切れずして宙宇に迷へる世間一切の有象無象《うぞうむぞう》、一日十回此《この》「新平民論」を読誦《どくじゅ》せば、即身成仏疑ひなし。

（週刊『平民新聞』五号、明治三十六年十二月十三日）

故兆民居士追悼会の記

去《さる》十四日、中江兆民先生の追悼紀念会を呉服橋外の柳屋で開いた、発起人は旧仏学塾出身者、其《その》他の門人で、来会者は居士の懇意な人々五十余名、御馳走は菓子と鮓《すし》一折、正宗《まさむね》の一合瓶が一本づゝ添へてあつた。

床の間には先生の筆跡が三幅、一は粕川信親君の所蔵で「飲風衣日幾山川、欲極皇州々尽辺、稚内湾頭時一望、涙零寸碧撒加連」（飲風衣日幾山川《いんぷういじついくさんせん》、皇州々尽辺《こうしゅうしゅうじんぺん》を極《きわ》めんと欲《ほっ》す、稚内湾頭一望《わっかないわんとういちぼう》するの時《とき》、涙《なみだ》は零寸《れいすん》にして碧《あお》を撒《ま》くこと連《れん》を加《くわ》ふる」といふ北海道宗谷《そうや》即事の詩で、一は高橋庄之助君所蔵の画幅、一個の蕭洒たる高士が、山中飛瀑《ひばく》の下を逍遥して居る図を描き、上に「廬山之李白、兆民写意」と落款がある、一は予の所蔵で「文章経国大業不朽盛事《ぶんしょうはけいこくのたいぎょうふきゅうのせいじ》」の十字、是は先生永眠の十日程前に紀念の為めに臥床の上で書て呉《く》れたので、平生は本社の編輯局に掛けてある、外《ほか》に門人佐野尚君が撮影した先生病中の小照《しょうしょう》が飾られてあつた。

当日の席上で安藤謙介《あんどうけんすけ》君の談話は、注意すべきであつた、それは明治七年、兆民先生が欧洲から帰つて間もなく、外国語学校の長となつた、当時学校の規律甚だ乱れて居たので、先生は直ちに其改革の意見を立てた、其の一は、今の学校は、教師も金で雇はれた人、生徒も金で学問を買ふといふので、師弟の間の情誼《じょうぎ》が殆《ほと》んど地を払つて居る、先《ま》づ此《この》風を改革しなければならぬ、第二に教育の根本は徳性の涵養《かんよう》に在る、如何に外国の文字を覚へ、智識が進むも、徳性が養はれ人格が高くならねば教育といふことは出来ない、西洋では宗教を以て徳育の根本として居るが、今日の日本で、且《か》つ官立の外国語学校で、仏教を用ゆることも出来ねば、耶蘇教を教ふることも勿論《もちろん》出来ぬ、我国民の道徳を維持し、人格を高くするのに最も適当なのは、孔孟《こうもう》の教《おしえ》である、故に孔孟の書を以《もっ》て、此学校の科程《かてい》の一に加へるといふのであつた、然るに当時は、福沢派の即ち物質的教育が世間を風靡した折柄で、文部の局に当つて居るのも、田中《たなか》不二麿《ふじまろ》、九鬼隆一《くきりゅういち》、といふ福沢派の人々であつた。

兆民先生が此事を以て、当時生徒中の餓鬼大将であつた安藤君に語ると、安藤君は、今の当局がアンナ風だから夫《それ》は迚《とて》も用ゐられないでしやうと注意した、先生は、ナニ用ゐられなければ去る迄《まで》だと言つて、文部に此意見を提出すると、果して行はれない、先生は当局と激論の末潔く辞職して仕舞つた、斯《か》くて外国語学校に居られたのは、僅か一ケ月か二ケ月に過ぎなかつた。

安藤君は、更に兆民先生が元老院書記官になつたこと、肥後の故宮崎八郎君等と政府顚覆《てんぷく》の隠謀があつたことなどを語り、其他の人々も先生の逸事に就て思ひ〳〵の談話があつた。

此会午後一時に始まり三時に了つた、質素な、静粛な上品な会であつた。

此日予の最も興味を感じたのは、先生が徳性の教育に重きを置かれたこと、之が根本を孔孟に取らんとしたことである、予も亦《また》全然此説に同意する。尽《ことごと》く書を信せば書なきに如かず、予は孔孟の書を以て完全無欠の物とは言はぬ、併《しか》し孔孟の仁義道徳の説は、諸宗教の説く所に比して優る所はあつても、決して劣る所はないと思ふ、若《も》し孔孟の教が従来の訓詁註釈をのみ事とする保守的腐儒《ふじゅ》の専有物とされないで、兆民先生の如き、東西の学に通じて居る活眼達識《かつがんたつしき》の人に依て述べられたならば、我国民の徳育の上に十分の真価を現したことであらうに、徒《いたず》らに皮相の文明に走る豎子《じゆし》の為めに妨げられたのは遺憾の極である。

平民社に帰つて、此意を枯川《こせん》に語り、儒教論を闘はした、枯川も平生論孟《ろんもう》を愛読する一人である、結局少し閒暇《かんか》が出来たら、大胆ながら新たに「論孟評釈」とでもいふやうな物を二人で書かうと相談して、寝に就いたのは十一時であつた。

（週刊『平民新聞』六号、明治三十六年十二月二十日）

十二月十三日記

嗚呼《ああ》十二月十三日、明治三十四年の今月今日は故中江兆民先生逝ける日なり。翌明治三十五年の今月今日には、神田の錦輝館に於て、次で明治三十六年の今月今日には呉服町の柳屋に於て先生の故旧門人相集《あいあつま》りて追悼紀念の意を表せりき。而《しか》して明治三十七年の今月今日には、或人は不在なりき、或人は多忙なりき、或人は之を欲せざりき、或人は之を忘れたりき、斯くて毎年開くべく約せられたる紀念会は、自然に廃せられたり、而して予自身は……予は恩師の命日なる此日恰《あたか》も、堺、西川両兄(1)と共に実に刑事被告人として東京地方裁判所の法廷に立てるにあらずや。(2)

朝来凍雲低く封じて、霙《みぞれ》交りの雨寒く、小暗き法廷には午後四時前より早や蠟燭《ろうそく》を点じたりき、唯だ板倉、花井、卜部、今村、木下五弁護士が火の如く花の如き弁を揮ふて、言論出版の自由の為めに万丈の気を吐き来るの声、陰鬱なる四壁に反響して、痛絶快絶、人をして真に血湧き肉躍らしめき。

弁論は夜に入りて漸く畢《おわ》りを告げぬ、門外に出れば雨は既に雪と化して、霏々《ひひ》として面を撲《う》つ、平民社に至りて晩餐し、少時休息の後《の》ち新宿行の電車に乗る、寒気肌に砭《へん》して、長靴の爪先ちぎるゝ如く、窓外には雪益々降しきりて、一望只《ただ》是れ白皚々《はくがいがい》たり、嗚呼先生遺族の人々は、今日をば如何に淋しく暮し玉ひけん、許し玉へ、予は遂に訪ひ参らすべき暇を得ざりき。

友なく書なき電車の中、感慨徒《いたず》らに湧く、窃《ひそか》に先生の浪華歳晩の詩を想ひ出で、、慄《ふる》へながら繰返して微吟しつゝ、麹町《こうじまち》、四谷《よつや》見付《みつけ》、大木戸《おおきど》と我にもあらで過ぎ行きたりき、詩に曰く

茫々守歳浪華津　　茫々《ぼうぼう》として歳《とし》を守《まも》る浪華《なにわ》の津《しん》、
賈豎群中寄此身　　賈豎《こじゅ》群中《ぐんちゅう》此身《このみ》を寄《よ》す、
酒腐肺腸気還壮　　酒《さけ》は肺腸《はいちょう》を腐《くさ》らすも気《き》は還《ま》た壮《そう》、
論拘条例筆愈神　　論《ろん》は条例《じょうれい》を拘《とら》へて筆《ふで》は愈《いよいよ》神《しん》、
欧編漢籍課門客　　欧編漢籍《おうへんかんせき》門客《もんきゃく》に課《か》し、

鶏羮黍飯供老親

海内交遊近何状

百年我是半閑人

鶏羮黍飯《けいこうしょはん》老親《ろうしん》に供《きょう》す、

海内交遊《かいだいこうゆう》近《ちか》ごろ何《いず》れの状《じょう》ぞ、

百年我《ひゃくねんわれ》は是《こ》れ半閑《はんかん》の人《ひと》

嗚呼予が文、亦屢々《しばしば》奇禍《きか》を買へども、其筆未だ先生の万一を希《ねが》ふ可《べか》らず、先生若《も》し在して当時の門客が依然として呉下《ごか》の阿蒙《あもう》なるを見玉はゞ、如何《いか》に言《いい》がひなく思玉《おもいたま》はん、嗚呼予、先生に負《そむ》くこと多し。

（週刊『平民新聞』五十八号、明治三十七年十二月十八日）

文士としての兆民先生

一

官吏、教師、商人としての兆民先生は、必しも企及《ききゅう》す可《べか》らざる者ではない、議員、新聞記者としての兆民先生も、亦《また》世間其匹《そのひつ》を見出すことも出来るであらう、唯《ひと》り文士としての兆民先生其人に至つては、実に明治当代の最も偉大なるものと言はねばならぬ。

先生、姓は中江、名は篤介、兆民は其号、弘化四年土佐高知に生れ、明治三十五年(1)、五十五歳を以て東京に歿した。

先生の文は殆《ほとん》ど神品であつた、鬼工であつた、予は先生の遺稿に対する毎《ごと》に、未だ曽《かつ》て一唱三嘆、造化の才を生ずるの甚だ奇なるに驚かぬことはない、殊に新聞紙の論説の如きは奇想湧くが如く、運筆飛ぶが如く、一気に揮洒《きさい》し去つて多く改竄《かいざん》しなかつたに拘らず、字字軒昂《けんこう》して天馬行空の勢ひがあつた、其《そ》の一例を示せば

二

我《わが》日本国の帝室は地球上一種特異の建設物たり、万国の史を閲読するも此の如き建設物は一個も有ること無し、地心の熱度漸く下降し草木漸く萌生《ほうせい》し那辺《な》箇辺《へんかへん》の流潦《りゅうろう》中、若干原素の偶然相抱合して、蠢々然《しゅんしゅんぜん》たる肉塊を造出し、日照し風乾かし耳目啓《ひら》き手足動きて茲《ここ》に乃《すなわ》ち人類なる者の初て成立せし以来、我日本の帝室は常に現在して一回も跡を歛《おさ》めたることなし、我日本の帝室は開闢《かいびゃく》の初より尽未来の末迄《まで》縦に引きたる一条の金鉄線なり、載籍《さいせき》以前の昔より今日並に今後迄一行に書き将《も》ち去るべき歴史の本項なり、初生の人類より滴々血液を伝へ来れる地球上譜牒《ふちょう》の本系なり、之を人と云へば人なり之を神と云へば神なり、政治学的に人類

学的に宇内《うだい》の最も貴重すべき一大古物なり上、無始《むし》に溯《さかのぼ》りて其以前に物あることなく、此宇内の最も貴重すべき古物をして常に鮮美清麗の新物たらしめ下、無終《むしゅう》に延《ひ》きて其以後に物有ること無からしむること是れ豈我儕《あにわなみ》日本人民の至願に非ずや、此至願を成就せんと欲せば如何、帝室と内閣と別物たらしむるに在るのみ。の如きである、「東雲新聞」、「政論」、「立憲自由新聞」、雑誌「経綸」「百零一」等は実に此種の金玉文字を惜し気もなく撒布した所であつた、又著書に於て最も飄逸奇突を極めて居るのは「三酔人経綸問答」の一篇である、此書や先生の人物、思想、本領を併せ得て十二分に活躍せしめて居るのみならず、寸鉄人を殺すの警句、冷罵《れいば》骨を刺すの妙語、紙上に相踵《あいつ》ぎ、殆ど応接に遑《いと》まあらぬのである。

三

併《しか》し先生自身は、単に才気に任せて揮洒《きさい》し去るのに満足しては居なかつた、自分が作る所の日々の新聞論説は単に漫言放語であつて決して文章といふべき者ではないと言ひ、予が「三酔人」の文字を歎美するに対しては、彼の書は一時の遊戯文字で甚《はなは》だ稚気がある、詰らぬ物だ、と謙遜して居た、然《しか》り、先生は其気、其才、彼が如きに拘らず、文章に対しては寧《むし》ろ頗《すこぶ》る忠実謹厳の人であつた。

先生は常に曰《い》つた、日本の文字は漢字である、日本の文章は漢文崩しである、漢字の用法を知らないで文字の書ける筈はない、翻訳なぞをするものが、勝手に粗末な熟語を拵《こしら》へるのは読むに堪へぬ、是等は真に適当な訳語が無いではない、漢文の素養がないので知らないのだ云々、先生は実に仏蘭西《フランス》学の大家たるのみでなく、亦《また》漢学の大家として諸子百家窺《うかが》はざるはなかつた、西洋から帰つて仏学塾を開き子弟を教授して居た後までも、更に岡松甕谷《おかまつおうこく》先生の門に入て漢文を作ることを学んで怠らなかつたのである。

故に其翻訳でも著作でも、一字一語皆な出処があつて、決して杜《ず》撰《さん》なものは無かつた、彼の「維氏美学」の如き「理学沿革史」の如き翻訳でも、少しも直訳の臭味と硬渋の処とを存しない、文勢流暢、意義明瞭で殆ど唐宋の古文を読むが如き思ひがある。

抑《そもそ》も芸術の物たる、其由て来る所果して安《いず》くに在る哉、蓋《けだ》し吾人情性皆脳中一種の構造に繫る者にして、其庶物《しょぶつ》の観に於けるや、嗜《たしな》む所あり、嗜まざる所有り、悦《よろこ》ぶ所有り、悦ばざる所有り、而して庶物の形状声音是の如く其れ蕃庶《はんしょ》なりと雖《いえど》も之を要するに二種に出でず、即ち形態は人目を怡《よろこ》ばしむる者にして、其の数万殊なるも、竟《つい》には線条の相錯《まじ》はれると、色采の相雑はれるとに外ならず、声音は人耳を怡ばしむる者にして、其の種は千差万別なるも、竟に亦抑揚高下緩急疾徐の相調和するに外《ほか》ならず。

是れ「維氏美学」の訳文の一節である、近時諸種の訳書に比較し見よ、如何に其漢文に老《た》けたる歟《か》が分るではない乎、而して其著「理学鉤玄」は先生が哲学上の用語に就て非常の苦心を費したもので、「革命前仏蘭西二世紀事」は其記事文の尤《もっと》も精采あるものである、其他、碑銘等の金石文字に至つては、数回十数回の推敲を経て曽て倦むことなかつたのである、而して先生は殊に紀事文を重んじた、先生曰く、事を紀して読者をして見るが如くならしむるは至難の業である、若し能く紀事の文に長ずれば往くとして可ならざるなしであると、蓋《けだ》し岡松先生の教に従つたのである、今先生の紀事文の一節を掲げやう。

一日ルーソー歩してワンセンヌ(2)に赴く、偶《たまた》ま中路暑に苦《くるし》み樹下に憩ひ携ふる所の一新聞紙を披《ひら》いて之を閲するに中に載する有りヂシヨンの博士会(3)一文題を発し賞を懸けて能く応ずる者あるを募る、其題に曰く、学術技科の進闡《しんせん》せしことは人の心術風俗に於て益有りしと為す乎将《はた》害有りしと為す乎と、ルーソー之を読みて神気俄《にわか》に旺盛し意思頓《とみ》に激揚し自ら肺腸の一変して別人と成りしを覚え殆ど飛游して新世界に跳入せしが如し、因て急に鉛筆を執りファブリシユース(4)の一段を草して之を懐にし既にワンセンヌに至りヂデロー(5)を見るも猶《な》ほ志気奮湧し血脈狡《こう》憤《ふん》して自ら安んずること能はず、ヂデロー其此の如きを見て怪みて之を問ふ、ルーソー具《つぶさ》に告ぐるに故を以てして且つ草する所の一段の文を出して之を示す、ヂデロー一誦して善しと称し勧めて更に敷演して一編を完結せしむ、ルーソー其言に従ふ、所謂《いわゆる》非開化論なり。

而して先生は古今の紀事文中、漢文に於ては「史記」、邦文では「近松」洋文ではウオルテールの「シヤル、十二世」を激賞して居た。

四

先生の文章は其売れ高より言へば決して偉大なる者では無《なか》つた、先生の多くの著訳書中、其所謂「生前の遺稿」なる「一年有半」及び「続一年有半」が翼なくして飛んだ外は、殆ど売れたといふ程の者はない、彼の「一年有半」「続一年有半」すらも、若し死に瀕しての著作でなかつたならば、アノ十分一も売れなかつたかも知れぬ。

先生の文章は当世に売らんが為めには、寧ろ余りに高過ぎた、先生の文章は曽て世間と伴はなかつた、曽て世間に媚《こ》びなかつた、常に世間に一歩を先んじた、先生の文章は先生の至誠至忠の人格の発露であつた、是れ先生の文章の常に真気惻々《そくそく》人を動かす所以《ゆえん》であつて、而も陽春白雪和する者少なき所以である、而して単に其文字から言つても、漢文の趣味の十分に解せられない今日に於て、多数人士の愛読する所とならぬは当然である、先生、「一年有半」中に

夫《それ》文人の苦心は古人の後に生れ古人開拓の田地の外、別に播種《はしゅ》し別に刈穫《がいかく》せんと欲する所の処に存す、韓退之所謂務去陳言戛々乎其難哉〔韓退之所謂《かんたいしのいわゆる》務《つと》めて陳言《ちんげん》を去《さ》らんとするは、戛々《かつかつ》として其難《それかた》き哉《かな》〕とは正に此謂ひなり、若し古人の意を蹈襲《とうしゅう》して、即ち古人の田地に種穫せば是れ剽盗のみ、李白杜甫韓柳の徒何ぞ曽て古人を襲はん、独り漢文学然るに非ず、英のシエクスピールや、ミルトンや仏のパスカルやコルネイユや皆別に機軸を出さゞる莫《な》し、然らずんば何の尊ぶ可きことか之れ有らん。

記してあるのみならず、平生予に向つても、昔し蘇東坡《そとうば》は極力孟子の文を学び、竟《つい》に孟子以外に一家を成すに至つた、若《も》しお前が私の文を学んで、私の文に似て居る間は私以上に出ることは出来ない、誰でも前人以外に新機軸を出さねばならぬと誨《おし》へられた、先生の文章に於けるや、苦心常に如此《かくのごと》きものがあつた、先生の文は決して売らんが為めに作るもので無《なか》つた、其売れると売れないとは、毫《ごう》も文士としての先生の偉大を損するに足らぬのである。

(『文章世界』二巻五号、明治四十年五月一日)

注　解

梅森直之

兆民先生

一〇頁(1)　**萩原三圭**　天保十一(一八四〇)—明治二十七(一八九四)年。土佐藩藩医。緒方洪庵にオランダ医学を学んだのち長崎の医学校に入学。のちに東京医学校教授、宮中侍医。

一〇頁(2)　**細川潤次郎**　天保五(一八三四)—大正十二(一九二三)年。土佐藩藩士。長崎で蘭学と高島流砲術を学んだのち土佐に戻り、藩校教授を務める。維新後は、アメリカに留学し、帰国後は、文部省や元老院などの要職を歴任。

一〇頁(3)　**平井義十郎**　名は希昌《きしょう》。天保十(一八三九)—明治二十九(一八九六)年。長崎生まれ。唐通事平井家の養子となり、英語、蘭語に加えて独・仏語を習得。長崎の洋学講習所である済美館の学頭となる。維新後は、太政官大書記官を経て、米国公使をつとめた。

一二頁(4)　**村上英俊**　文化八(一八一一)—明治二十三(一八九〇)年。下野(栃木県)に生まれ、江戸で蘭学を学んだのち、松代藩藩医となる。佐久間象山の勧めで仏語を修め、日本の「仏学始祖」とされる。維新後は家塾(達理堂《たつりどう》)で門弟の教育にあたった。

一二頁(5) **箕作麟祥** 弘化三(一八四六)—明治三十(一八九七)年。江戸の津山藩邸に生まれた。蘭学・英学を修め、蕃書調所、開成所で教育に当たる。フランス語を学び、徳川昭武に随行しパリ博覧会を見学。明治政府に出仕し、家塾を開きフランス語を教授する。

一二頁(6) **福地源一郎** 号は桜痴。長崎出身。天保十二(一八四一)—明治三十九(一九〇六年)年。幕臣。長崎で蘭学、江戸で英学を学ぶ。慶応四(一八六八)年、『江湖新聞』を発行し新政府を批判して逮捕される。放免後に私塾日新舎を開き英語とフランス語を教授した。のち御用政党としての立憲帝政党を結成。

一四頁(7) **チエール** ルイ・アドルフ・ティエール Louis Adolphe Thiers 1797-1877。フランスの政治家・歴史家。首相を二回、第三共和政の初代大統領(一八七一—七三年)を務めた。

一四頁(8) **ガムベッタ** レオン・ガンベッタ Léon Gambetta 1838-82。フランスの政治家。ナポレオン三世廃位を宣言、共和国政府の樹立を宣言した。

一七頁(9) **東洋学館** 中国語と英語を教える語学学校として一八八四年上海に創設。「東洋政策ノ得否ニ注思」しうる人材の育成をめざした。兆民のほかに、杉田定一、植木枝盛、末広重恭(鉄腸)、樽井藤吉、馬場辰猪らも設立に関与した。政府からの正式認可を受けることができず、一八八五年に財政難もあり解散となった。

二一頁(10) **福嶋事件** 明治十五(一八八二)年、福島県県令三《み》島《しま》通庸《みちつね》の圧政に対し、河野広

中ら自由党員、農民が反抗して弾圧された事件。河野らが検挙された。

二一頁(11) **高田事件**　明治十六(一八八三)年、新潟県高田地方で起こった自由党員らの自由民権運動に対する弾圧事件。赤井《あかい》景韶《かげあき》ら三十数名の活動家が政府転覆容疑で逮捕されたが、赤井を除き、証拠不十分で不起訴もしくは予審免訴となった。

二一頁(12) **加波山事件**　明治十七(一八八四)年に、自由党の急進派が、三島通庸や政府高官の暗殺を計画するが失敗。自由党員富松正安《とみまつまさやす》ら民権家十六名は茨城県の加波山に立てこもったが、鎮圧された。

二一頁(13) **名古屋事件**　明治十七(一八八四)年、旧自由党員らによる政府転覆未遂事件。軍資金調達のために富豪からの強盗・紙幣偽造が企てられた。三名が死刑、二十名余が無期懲役などの判決を受けた。明治三十(一八九七)年に特赦が行われた。村松愛蔵は直接関係はないとみられる。

二一頁(14) **大阪事件**　明治十八(一八八五)年、自由党の大井憲太郎、小林樟雄、磯山清兵衛らを中心にした、反政府武力闘争計画。金玉均《キムオッキュン》らを支援して朝鮮の清国からの独立、明治政府の打倒を計画したが、大井ら指導者が逮捕された。

二一頁(15) **飯田事件**　明治十七(一八八四)年、愛知・長野の自由党員の挙兵未遂事件。村松愛蔵、八木重治、桜井平吉らが政府の民権運動弾圧に反対し挙兵を計画したが、発覚して主謀者は逮捕された。

二一頁(16)　**静岡事件**　明治十九(一八八六)年、旧自由党員による政府転覆計画が発覚し、静岡を中心に、一斉検挙が行われた。主謀者の湊省太郎《みなとしょうたろう》、鈴木音高《すずきおとたか》らが逮捕された。

二一頁(17)　**高崎事件**　群馬事件のことか。明治十七(一八八四)年、自由党員の清水永三郎、小林安兵衛らが農民と結び、地元の豪商を襲撃した事件。

二一頁(18)　**保安条例**　明治二十(一八八七)年に公布された治安法規。自由民権運動の弾圧のため、内務大臣山県有朋、警視総監三島通庸が公布し即日施行した。秘密結社、集会の禁止、内乱陰謀、治安妨害のおそれのある者の皇居ないしは行在所《あんざいしょ》三里(一一・八キロ)外の地への退去を規定した。星亨《ほしとおる》、尾崎行雄、中江兆民ら多数が、帝都外に追放された。林有造の書生であった幸徳秋水もまたその対象となった。

三二頁(19)　**黒岩涙香**　文久二(一八六二)―大正九(一九二〇)年。小説家、ジャーナリスト。土佐出身。慶應義塾中退。『都新聞』などで主筆をつとめた後、『万朝報』を創刊。外国の探偵小説の日本人向け翻案小説でも人気を博した。

三三頁(20)　**群馬に娼楼を設けん**　群馬県では明治二十二(一八八九)年、県議会で、廃娼案「娼妓及貸座敷営業廃止ノ建議」が可決されていた。明治三十一(一八九八)年七月旧自由党系で、存娼派の草刈親明が新知事として着任し、同年十一月に独断で「貸座敷営業地」を指定して営業を許可する存娼の県令を交付した。同月、草刈は免官となり、後任の古荘嘉門により公娼設置許可は取り消された。

三四頁(21)　**国民同盟会**　明治三十三(一九〇〇)年に、近衛篤麿《このえあつまろ》を中心に、ロシアに対する強硬な世論を喚起し、国民運動を展開することを目的に結成された政治団体。

三七頁(22)　**岡松甕谷**　文政三(一八二〇)—明治二十八(一八九五)年。幕末、明治時代の漢学者。豊後(大分県)出身。帆足万里《ほあしばんり》に漢学を学ぶ。明治九(一八七六)年上京し、紹成書院《しょうせいしょいん》を設立、中江兆民、徳富蘇峰らを教える。晩年は東京大学や府下の中学校で教鞭を取った。

六八頁(23)　**小山久之助**　安政六(一八五九)—明治三十四(一九〇一)年。政治家。信濃に生まれ漢学を学ぶ。上京して仏学塾に学ぶ。幸徳秋水とならぶ兆民の高弟として知られる。『政理叢談』、『東雲新聞』の発行に加わる。明治三十一(一八九八)年、衆議院議員となる。

兆民先生行状記

七九頁(1)　**小泉君**　小泉策太郎。明治五(一八七二)—昭和十二(一九三七)年。静岡県に生まれる。明治二十七(一八九四)年、板垣退助の『自由新聞』に入社、社員の幸徳秋水と親交をもった。大逆事件にあたり、幸徳秋水を、湯河原療養の名目で実行組から離し守ろうとした。明治四十五年、静岡県から総選挙に出馬し、当選。立憲政友会所属。

七九頁(2)　**師岡千代子**　明治八(一八七五)—昭和三十五(一九六〇)年。明治三十二年、幸徳秋水と結婚。その後幸徳が管野スガとの関係に入ったため、明治四十二年に離縁となる。その後も大逆事件で下獄した秋水を支援した。

七九頁(3) **菅野須賀子**　管野スガ。明治十四(一八八一)―四十四(一九一一)年。大阪に生まれる。小説家を志し、新聞記者となり、社会主義に接近する。荒畑寒村を知り結婚するが、寒村が赤旗事件で下獄中、幸徳秋水との同棲生活をはじめたため、一大スキャンダルとなる。明治四十二年、秋水と『自由思想』を発行するが発禁となる。明治四十三年大逆事件で逮捕され、翌年死刑に処せられた。

八〇頁(4) **堺利彦**　明治三(一八七一)―昭和八(一九三三)年。号は枯川。豊前(福岡県)出身。『万朝報』の記者となるが、内村鑑三、幸徳秋水とともに退社。『平民新聞』を発行、非戦論・社会主義を唱えた。大逆事件の際には、獄中にいたため連座を免れた。

八九頁(5) **令閨**　兆民は、信濃の生まれである松沢ちのと明治十八(一八八五)年ころに結ばれ、明治二十年に第一子千美が誕生している。兆民の死後は、中国人留学生相手の下宿屋を営んだ。大正三(一九一四)年没。

八九頁(6) **児女**　長女千美。竹内綱の三男で、吉田茂の兄にあたるジャーナリスト、竹内虎治と結婚。記事「父兆民の思い出」を残した。昭和四十六(一九七一)年没。

故中江篤介君の葬儀に就て

一〇二頁(1) **大石正巳**　安政二(一八五五)―昭和十(一九三五)年。土佐出身。板垣退助の下で、自由民権運動に参加した。衆議院議員を務めた。

夏草(泉州紀行)

一一六頁(1)　**十三になる令息**　中江丑吉。明治二十二(一八八九)―昭和十七(一九四二)年。大阪に中江兆民の長男として生まれ、東京帝国大学政治学科を卒業。その後の人生のほとんどを北京で暮らし、中国古代思想史の研究に専心した。

小山久之助君を哭す

一二三頁(1)　**セーニヨボー**　シャルル・セニョボス Charles Seignobos 1854-1942。フランスの歴史家。『現代文明史 *Histoire de la civilisation contemporaine*』、『現代ヨーロッパ政治史 *Histoire politique de l'Europe contemporaine*』などの著作がある。

十二月十三日記

一三〇頁(1)　**西川**　西川光二郎。明治九(一八七六)―昭和十五(一九四〇)年。淡路島に生まれる。札幌農学校、東京専門学校で学ぶ。明治三十四年の社会民主党、明治三十六年の平民社の創立にくわわる。のちに社会主義運動から離脱し、修養論へと向かった。

一三〇頁(2)　**刑事被告人**　『平民新聞』に掲載された「嗚呼増税」(幸徳秋水、明治三十七年三月二十七日)、「小学教師に告ぐ」(石川三四郎、十一月六日)、「所謂愛国者の狼狽」(無署名、十一月六日)、幸徳・堺の共訳「共産党宣言」(十一月十三日)が、新聞紙条例の「朝憲紊乱」の罪に問われ、堺、西川、幸徳が、相次いで禁固刑に処せられたことをさす。

文士としての兆民先生

一三三頁(1) **明治三十五年** 実際は明治三十四年十二月。

一三七頁(2) **ワンセンヌ** ヴァンセンヌ城 Château de Vincennes。パリの東方ヴァンセンヌにある城で監獄として使用されていた。ルソーは当時、投獄されていたディドロに会うためこの地に赴いた。

一三七頁(3) **ヂシヨンの博士会** ディジョン・アカデミー L'Académie de Dijon。一七二五年に創設。一七四九年「学問と芸術の復興は習俗の純化に寄与したか」というテーマで懸賞論文を公募、ルソーの応募論文が受賞し、彼の出世作となった。

一三八頁(4) **フアブリシユース** ガイウス・ファブリキウス・ルスキヌス Gaius Fabricius Luscinus。紀元前三世紀の共和政ローマの政治家・軍人。清廉な人格者として知られた。

一三八頁(5) **ヂデロー** ディドロ Denis Diderot 1713-84。フランスの思想家、文学者。一七四九年夏から約三ヵ月ヴァンセンヌ城の牢獄に投じられた。釈放後、『百科全書』の編集責任者として活躍した。

解説——秋水の兆民、兆民の秋水

梅森直之

本書『兆民先生 他八篇』は、幸徳秋水(一八七一—一九一一)が残した中江兆民(一八四七—一九〇一)にかんする著述(「故中江篤介君の葬儀に就て」を除く)を集めた。その中心をなす『兆民先生』は、明治三十四(一九〇一)年十二月の兆民の死を悼み記されたもので、その翌年に博文館より出版された。同年から翌年にかけて秋水は、三十一歳の壮年のときを迎えており、『万朝報』の花形記者として注目を集めていた。また社会民主党の創立に参加し、『廿世紀之怪物 帝国主義』を刊行するなど、社会主義者としての立場を確立しつつあった。本書は、そうしたジャーナリストとして、社会主義運動のリーダーとして、前途洋々たる未来がひらけていたかのようにみえていたかつての弟子から、偉大な思想家でありながら、みずからにふさわしい活躍の場を得ることなく亡くなったかつての師への敬愛と同情に溢れた評伝である。

出生から出会いまで

著者の幸徳秋水は、明治四(一八七一)年に高知中村の有力な商家に生まれた。しかし幼くして父親を亡くしたため、貧窮に向かう。故郷で漢学の初歩を習い、自由民権運動とも接触を持った。高知中学校に進学するも、患った肋膜炎のため進級がおくれ、中途で上京し、林有造の書生として英学塾で学ぶ。その後秋水は、伊藤内閣が発布した保安条例の対象として認定され、自由民権派の活動家五七〇名とともに東京退去となり、明治二十一(一八八八)年一月に帰郷した。長崎から清国への渡海を試みるも果たせず、宇和島の寺に寄宿し、仏典を読む機会があったという。しかし秋水は同年、退去令が解除されると、ただちに再度の上京を試みる。その途上で秋水は、同郷の友人であり、自由党の壮士として知られていた横田金馬の紹介で、兆民との運命的出会いを果たす。(1) かくて秋水は大阪にとどまり、同年十一月より中江兆民の学僕となった。秋水十八歳のことであった。

秋水は後に、みずからの高知時代を、「不平の小履歴」として回顧している。「人は不平の動物なり、不平あればこそ人間の活動もあれ」と秋水は述べる。通常不平家は、「非常なる得意」の時代もあるのが通例であり、それで人間社会のバランスもとれている。しかし自分だけは、「不平の為にはほと〳〵此世にもあき果たれ共、未だ曽て人間の愉快得意満足等の語は爪の垢程も知ら」(2)ない。兆民と出会ったのは、このような「例外の不平家」を自称する少年であった。たしかにそうした気質は、自由民権運動を通じて生み出された、悲憤慷慨型の「壮士」たちと交流する環境のなかで育まれていったと思われる。しかし一方秋水は、かれらとの交流にも、決して心の満足を見いだしてはいない。秋水の望みは、あくまでも「学問にて身を立つる」ことであったからである(3)。

「例外の不平家」は、みずからの進むべき道とそのための準備をなす場を探し求めて放浪していた。別言すれば秋水は、みずからの存在を丸ごと受けとめ、進むべき道を示してくれる学問の師を求めていたのである。このようにして秋水は兆民と出会った。しかし「学問にて身を立つる」とは、いったい何を意味していたのであろうか。それは学者として名をあげるということとは、別次元の問題であったはずである。われわれは、その回答を、兆民が死の床で秋水に与えた揮毫、「文章経国大業不朽《ぶんしょうはけいこくのたいぎょうふきゅうの》盛事《せいじ》」の一〇文字に見いだすことができる。(4) 文を作ることはすなわち国を治めることであり、それは遠い将来に至るまで世に影響を与え続ける壮大な事業でなければならない。「学問にて身を立つる」とは、こうした実践であると兆民は秋水に示した。秋水が兆民のなかに見出したものは、そうした「文士」の姿であった。秋水にとっての兆民は、何よりも「文士」であり、師弟の絆は、「文士」という理想を共有することで結ばれていったのである。

「兆民大学」での学び

当時中江兆民は、明治二十一(一八八八)年一月、大阪で創刊された『東雲新聞』の主筆として、民権派のオピニオンリーダーとよばれるにふさわしい多様な言論活動を展開していた。兆民もまた、前年の保安条例で東京退去となっていたのである。秋水との出会いは、兆民四十二歳のときのことであった。以後兆民は、明治二十二(一八八九)年十月に再上京したあとも秋水を中江家に寄宿させ、明治二十七(一八九四)年三月、最終的に秋水が中江家を出るまで、多くの期間、この弟子と寝食をともにした。秋水は、十八歳から二十四歳までの思想形成期の多くを兆民のもとで過ごしたことになる。ちなみに秋水が、はじめて「秋水」と号した記事を書いたのは、中江家への寄宿が終わる明治二十七年のことであった(5)。秋水にとって、兆民と暮らした四年ほどの歳月は、およそ「大学」での学びに等しいものであったろう。兆民が、かつてみずからも使用した「秋水」という号を、この弟子に譲り渡したことは、その「卒業証書」に等しいものではなかったか。

では、「兆民大学」における秋水の学びとは、どのようなものであったのか。「兆民先生」において秋水は、「先生、日に予に課するに漢籍を以てし、別に師に就て英書を読ましめ、且つ多く文を作るを命ぜり」と回顧している(6)。漢籍と英書、そして作文。これが秋水が学んだ「兆民大学」のカリキュラムであった。ここで重要なのは、漢籍と英書と作文が、独立の学科目として存在していたのではなく、むしろ「文章経国」という目標に向けた教育カリキュラムとして、有機的連関のうちに意味づけられていたことである。以下「兆民大学」におけるカリキュラム構成とその意味を、秋水と兆民の関連資料を交えて、うきぼりにしてみよう。

秋水は、大阪の中江家に「玄関番」として過ごしていた日々の暮らしを、「後のかたみ」と題された日記として残している(7)。ここには、来翰の記録や漢詩の習作に加えて、いまだ何ものでもなかった明治の一青年の心模様が率直に記されている。秋水は、このころのみずからの勉強の有様について、以下のような自嘲的な言葉を残している。「予が必要より読書をなさず、慰みの為にのみ読書をなすは何時に至るも変らざる可し、予は無論か丶る無益の読書に光陰を費すまじと我と我身を戒むる事度々なれど、是も一種の病なれば如何にも諦め付かざるなり、現に日々六時間余は新聞雑志に消費し居るなり」(8)。秋水は、ここでいう「新聞雑志」として「大坂毎日新聞、東雲新聞、大坂公論、鶏鳴新報、京都日報、讃岐日報、国民之友、経世評論、社会灯」等の名をあげている。併せて秋水は、当時かれが格別好んでいた書目として、以下のようなものをあげている。「古文真宝、東莱博議《とうらいはくぎ》、孟子、荀子、法華経、遠羅天釜《おらてがま》、白詩選、唐詩選、金聖歎《きんせいたん》評三国志、燕山外史《えんざんがいし》、情史抄、古今集、徒然草、太平記、平家物語、盛衰記、日蓮大士真実伝、靖献遺言《せいけんいげん》、八犬伝、弓張月《ゆみはりづき》、頼豪怪鼠伝《らいごうかいそでん》、夢想兵衛《むそうひょうえ》、娘節用、梅暦、春の屋著作書生気質・細君他数種、あいびき、浮雲、無味気《あじきなし》、蝴蝶《こちょう》、近松著作全書、院本数種、謡曲数種及膝栗毛、浮世風呂」(9)。このリストには、漢籍も含まれているものの、日本の伝統文学、物語、小説がその半ば以上を占めている。前述の新聞雑誌に加え、こうした和文の物語・小説が、「慰みの為に」なす読書の対象となっていたと考えられる。

漢籍と仏語と作文と

兆民の最初の教育は、情念と知的好奇心で膨れ上がったこの無軌道な青年の読書に、一定の方向性を与えることであった。漢籍と英書、これが師から弟子に課された勉学の方向性であった。この点で興味深いのは、秋水が、兆民が深く漢籍に親しんだ時期を、フランス留学後のこととして記録していることである。記録によれば兆民は、明治十一(一八七八)年頃、高谷龍洲《たかたにりゅうしゅう》の済美黌《せいびこう》、明治十三(一八八〇)年に三島中洲《みしまちゅうしゅう》の二松学舎ならびに岡松甕谷《おかまつおうこく》の紹成書院で漢文を学んだ[10]。兆民はこのころ、仏学塾を主催しながら、文部省からの委嘱でフランス語の翻訳を継続的におこなっていた。このようにみるならば、兆民における漢籍と外国語の関係は、漢籍の素養の上に外国思想を受容したというようなものではなかったことが理解される。兆民はむしろ、フランス語の翻訳と漢籍の学習を、同時並行的にすすめていった。外国語の学習と漢籍の学習は、相互依存的なカリキュラムとして構想されていたのである。

では、なぜ外国語と漢籍なのか。この興味深い組み合わせについて、兆民は秋水に、以下のように解説している。「世間洋書を訳する者、適当の熟語なきに苦しみ、妄《みだ》りに疎率《そそつ》の文字を製して紙上に相踵《あいつ》ぐ、拙悪見るに堪へざるのみならず、実に読《よん》で解するを得ざらしむ」(11)。つまり兆民は、洋書の翻訳にあたり、新しく熟語を案出しがちな当時の風潮に対し、漢籍のなかから適切な用語を見いだすことの必要性を述べているのである。ではなぜ、日本語への翻訳に漢籍を経由する必要があるのであろうか。この点について秋水は、兆民の文が、「博く仏典語録を渉猟し」たうえで成り立ったものであることに、あらためて注意をうながしている。そもそも仏典とは、サンスクリットで書かれた経典を漢語に翻訳したものである。経典にある思惟語・観念語を翻訳するために、漢語は、そうした思惟語・観念語の語彙を豊富に蓄積することになった。兆民は、そうした語彙が西洋の同種の言葉を日本語に翻訳する場合に参考となると考えていたわけである(12)。

明治初期の啓蒙的知識人たちが、日本語のボキャブラリーには存在しなかったさまざまな西洋の概念を翻訳するにあたり、創意工夫を重ねながら新しい熟語を創りだしていったことに関しては、すでに多くの指摘と研究が存在する。そのただなかにあって兆民は、漢文という世界そのものが、そうした翻訳語の創出という作業と共に成立してきた事実に、あらためて注目を促しているのである。兆民の漢籍への着目は、特定の著者やテクストへ向けられたものではない。それはいわば、つねにすでに、翻訳という実践と共に変容し成長してきた漢文世界そのものへの信頼と敬意であったからである。

かくて兆民は、ルソーの『社会契約論』を、「読んで解する」日本語にするために、漢文で訳さねばならなかったのである。しかしいかに「日本の文字」が漢字であり、「日本の文学」が漢文崩しであるにせよ、漢文と日本語のあいだにはいまだ距離がある。その距離を埋める作業が「作文」であった。では、兆民にとって「作文」とは何を意味したのであろうか。ここにおいて注目すべきは、兆民が漢文を学んだ岡松甕谷の私塾での重要なプログラムが、『訳常山紀談《やくじょうざんきだん》』の作成であったことである。このプロジェクトのはじまりを、甕谷は、その自序にて次のように記す。「余都に入《いり》て自《よ》り、諸生の業を受くるを請《こ》ふ者有り、必ず先《ま》ず以《もっ》て記実の法を授く、文簡先生の遺教に従へる也、中江子篤《あつ》く之を見て喜びて曰《いわ》く、子《し》に循《したが》ふの法、東西言語同じからずと雖《いえど》も、未だ漢文を以て写す可《べか》らざる者有る也、遂に二三子と謀《はか》りて、常山紀談を取り、相い伝へて之を訳す、余亦《また》極力删定《さんてい》し、已《すで》にして成る、彙《あつ》めて十巻と為し、以て後進之《こうしんの》士《し》に便す」[13]。『常山紀談』とは、江戸中期の岡山の儒者、湯浅常山によって書かれた戦国時代から江戸時代初期までの武将たちの逸話を集めた文集である。すなわち『訳常山紀談』とは、和文で書かれた叙事文を漢文に翻訳するプロジェクトであった。

『訳常山紀談』には、どのような学びが含まれていたのか。『常山紀談』を通じて、広く人口に膾炙したもののひとつに、太田道灌についてのエピソードがある。同時代に刊行された『常山紀談』は、それを以下のように記述している。

太田左衛門大夫持資は上杉宣政の長臣なり鷹狩に出て雨に逢ある小屋に入て簑をからんといふにわかき女の何とも物をばいはずして山ふきの花一枝折て出しければ花を求むるに非ずとて怒りて帰りしに是を聞きし人のそれは七重八重花はさけどもやまぶきのみのひとつだになきぞ悲しきといふ古歌のこころなるべしといふ持資おどろきてそれより歌に志をよせけり[14]

それを『訳常山紀談』では、甕谷旗下、兆民を含む翻訳グループは、以下のように漢訳した。

太田持資者。上杉宣政長臣也。嘗出レ郊放レ鷹。会二天雨一。過二民家一。乞レ借二簑衣一。有二少女子一守レ舎。黙然起折二棣棠花一枝一以進。持資曰。非レ求レ花也。怒而去。或謂二持資一曰。古歌詠二棣棠花一有言。曰。奈二実之無レ有レ一。和言。実之与二簑衣一通。女子蓋訴二家貧不レ能レ蔵二有簑衣一也。持資聞レ之。驚且愧。自レ是益覃二思和歌一。竟究二至巧一。其所レ作往往有下膾《（ママ）》二炙人口一者。

この漢文を、返り点にしたがって読み下せば、漢文訓読体という日本語が得られる。しかしそれは、けっしてオリジナルの和文と重なるものではない。『常山紀談』の和文と『訳常山紀談』の書き下し文とのあいだの距離こそが、兆民のいう「作文」の意味を伝えている。ここでは、当時の和文として十分に簡潔と思われた常山の文章が、漢訳というプロセスを経由することで、別次元の文章へと変貌している。句読点により短く区切られた文章が、リズムと勢いを生みだし、そのそれぞれに、動作の主語が明示されることにより、次々に移り変わる場面の情景を、より鮮やかに映しだす。これはもはや、翻訳という名で示されるような作業ではなく、むしろ新しい日本語文体の創出にほかならなかった。

兆民の「作文」は、被翻訳語としてのフランス語と翻訳語としての日本語を、ともに漢訳するという修練をへて準備されていった。外国語を漢訳することで、漢語世界に埋め込まれている抽象概念の潜勢力を掘り起こし、あわせて和文を漢文のフィルタ—で濾過することにより簡潔で勢いのある日本語へと凝縮していくこと。「経国」を目標に掲げた兆民の「文章」は、このような修練の果てに到達されるべき目標であった。

秋水と兆民のあいだ

秋水が中江家に寄宿していた明治二十三(一八九〇)年を前後する時期は、新しい日本語の文体が創出される画期となった時期でもあった。坪内逍遥の問題提起(『当世書生気質』『小説神髄』明治十八年)を皮切りに、二葉亭四迷の苦闘に満ちた試行錯誤(『浮雲』明治二十年、『あひゞき』明治二十一年)を経て、明治の小説家たちが、いかにして、東京の話し言葉(口語)を基準とする新しい書き言葉(言文一致体)を創造していったのかについては、すでに多くの研究がなされている。兆民が亡くなる前年の明治三十三

（一九〇〇）年には、帝国教育会内に「言文一致会」が創設され、『兆民先生』刊行前年の明治三十四年には、「言文一致の実行に就ての請願」が国会に提出され、可決されている。言文一致体は、明治三十三年には公表される小説の過半に達し、明治四十（一九〇七）年頃にはほぼ小説界を完全制覇したとされる⒂。

では、こうした新しい日本語の創出において、兆民によって追求された「作文」は、いかなる位置をしめるものであったのであろうか。齋藤希史は、口語体による小説の成立を重視する伝統的な文体論に対し、漢文訓読体の成立と発展が、現代口語文への道を開いたとする興味深い指摘を行っている⒃。その際齋藤は、漢文という文体には、表現媒体としての機能性と歴史＝自己認識にかかわる精神性という二つの焦点が存在することに注意を促している。前者は、異言語への対応力や造語力の高さといった漢字漢語の特質を示しており、後者は、士大夫《したいふ》の言語としての漢文を古典文として読み書きするうちに、否応なく身にまとってしまう歴史と社会への規範的な関わり方（「士人的エトス」）を示している。漢文を学ぶことは、こうした構造をもつ中国古典の知的世界に自分自身を参入させることを意味していた。

ここで重要なのは、齋藤が、明治初期に氾濫する訓読体の特質を、造語機能の活用と「士人的エトス」の消去に見いだし、漢文的世界からの離脱のプロセスとして分析している点である。兆民と秋水の「作文」修行は、こうした訓読体を通じた漢文世界からの離脱が一般化しつつあった時代の只中で、敢行されていたことになる。たしかに一面でかれらの「作文」修行が、齋藤がいうような「漢詩文的なるものから離脱することによって、もしくはそれを否定することによって、あるいはそれと格闘することによって成立した」日本の近代へと向かうひとこまであったことは疑いえない。それは兆民の漢文修養の主たる目的が、中国の古典籍に埋没することではなく、日本の経験や現実を簡明に記述しうる「叙事文」の作成にあったことからも明らかであろう。近世の和文を漢文に翻訳する『訳常山紀談』のプロジェクトは、伝統的な漢文教育のカリキュラムからは逸脱していた(17)。むしろその背景にあったのは、明治政府で公式文として採用された漢文訓読体の学習需要である。和文を漢文に直す練習は、漢文訓読体に習熟するための方法でもあった。その意味で、兆民の漢文作成もまた、伝統的漢文世界からの離脱の徴候とみなされうる。しかし他方で、兆民の場合、そうした脱漢文化が、訓読体ではなく、漢文そのものの作成を通じておこなわれたこともまた事実である。それは兆民が、どれほど深くこの漢文という世界に、その身を浸していたかの証左でもある。兆民を漢文世界につなぎ止めていたもの、おそらくそれは同時代の訓読体から消え去りつつあった「士人的エトス」ではなかったか。そして秋水もまた、兆民のうちに「文士」の姿を見いだすことにより、そのエトスを受け継ごうとしたのである。

「文士としての兆民先生」には、当時の秋水が「神品」であり「鬼工」と激賞した兆民の文章が引用されている(18)。兆民は、「帝室」について論じたこの論説で、その文字のほとんどを充てて、日本の皇室が、人類史上いかに特殊な制度であり、尊重すべきものであるかを説いていく。当時の秋水は、すでに社会主義者としての立場を確立し、さらに無政府主義への移行を迎えつつあった時期である。では、なぜ秋水は、数行で説明しうる内容を、絢爛たる漢語でひたすら文飾したこの文章を激賞したのであろうか。それはこうした文飾のすべてが、最後の一文、「此志願を成就せんと欲せば如何、帝室と内閣と別物たらしむるに在るのみ」を際だたせる「フリ」となっているからである。兆民の論説は、明確な敵を有していた。それは特別な皇室の存在をもって、日本における立憲政治の不可を説く、天皇大権論者である。兆民は、そうした天皇大権論者が及びもつかないほどの美辞麗句をもって、皇室制度の素晴らしさを高々とうたいあげた後に、その皇室制度を護持するためにこそ、帝室と内閣とを別物たらしめる、すなわち天皇を政治にかかわらせないことが肝要であると述べているのである。「皇室」の意義を華麗に言祝《ことほ》げば言祝ぐほど、最後の政治的主張の破壊力は増してゆく。まさに「寸鉄人を殺す」文章である。

秋水が激賞したこうした文章を、兆民自身は「単に漫言放語であつて決して文章といふべき者ではない」と否定していた。この齟齬のうちに、秋水と兆民が文章に賭けた志向性の微妙なズレがうきぼりになっている。秋水がひいた兆民の文章は、用語選択の面でも、主体位置の点でも、漢詩文と格闘することによって成立したというほどの深みを備えてはいない。『訳常山紀談』の簡潔な叙事文とも距離があるものである。ここで秋水が惹かれているのは、あくまでも兆民のレトリックであり、そのレトリックを成立せしめる文の「勢い」であった。秋水がそこに「士人的エトス」を見ていたことは疑いえない。しかしそれは、蓄積と厚みを有する古典的教養の世界に深く根ざすことで、現実の政治と歴史を相対化する士大夫のそれではなく、群れをなすみずからの政敵を、単独でなぎ倒していくような、孤独な「志士」のエトスではなかったか。

こうした秋水と兆民の距離は、現代口語文の成立に向けた日本語の歩みを反映している。兆民がフランス思想を翻訳しうる文体を求めて漢文修行に励んでいた明治十三年は、いまだ口語による小説の創成が端緒についていない時期であった。これに対し、秋水が兆民のもとで学んだ明治二十三年には、新しい文体を用いた小説作成の実験が盛んにおこなわれていた。それは前述したように、当時の秋水が、気になる書目として、坪内逍遥の『当世書生気質』、二葉亭四迷の『浮雲』と『あひゞき』、嵯峨《さが》の屋《や》おむろの『無味気《あじきなし》』などの小説をあげていたことからもうかがえる。兆民が、西洋思想の波濤を、漢文世界という巨大な貯水池に引き込むことで受けとめようとしたのに対し、秋水は、明治の青年として、いまだ端緒についたばかりの口語文への歩みを無視することはできなかったのである。

秋水にあって兆民になかったもの。それは小説への関心と言文一致運動へのコミットメントであった。たしかに兆民は、文体の「戦国時代」と評した明治三十三年において、今後のあるべき日本語文体について、「言文一致体が最適」との見通しを示していた。(19) しかしかれ自身は、終生漢文ないし漢文体の文章を用い、みずからの文章を言文一致体で記すことはなかった。これに対し秋水は、言文一致体の普及をめざす言文一致会に入会しただけでなく、『兆民先生』を出版する前年の明治三十四(一九〇一)年に、同会から発行された雑誌『新文』に、「言文一致と新聞紙」を掲載し、「我等は全国の新聞紙に向つて、挙つて言文一致の文章に改められんことを希望に堪へぬ」とする主張を行い、「我より進んで可及的に速かに言文一致を採用するの方針に出る」ことを宣言していた。

「文章経国」という呪い

「先生の文章は当世に売らんが為めには、寧ろ余りに高過ぎた、先生の文章は曽て世間と伴はなかつた」(20)。秋水は、このように兆民の「作文」を総括している。兆民が当時の誰よりも、民主主義の原理を深く理解し、その実現に向かって努力した知識人であったことは疑いえない。しかしながら、それを伝えるべき文章が、書き手にも読み手にも、当時の日本から消え去りつつあった「漢文」という世界に浸りきることを要求するものであったことも事実である。これは兆民が、「士人的エトス」の横溢する漢文的世界に向けていた敬意と愛着の深さを示していた。民主主義の理想をエリート階層である士大夫の言語で語ることの矛盾。それはある意味で、近代人兆民にかけられた一種の呪いであったかも知れない。

秋水は、兆民の文章と「世間」とのあいだの距離を、明確に理解していた。しかしながらこののち秋水も、みずからの著書を、漢文体により記述し続ける。『帝国主義』(明治三十四年)から『社会主義神髄』(明治三十六年)に至る社会主義の啓蒙的著作、日本で最初の『共産党宣言』の翻訳(明治三十七年)、無政府主義の理想を謳った『自由思想』の「発刊の序」(明治四十一年)、遺著となった『基督抹殺論』(明治四十四年)など、秋水は、その重要な思想的ステイトメントのほとんどを漢文体で書き続けてゆく。「言文一致」の正当性を深く理解しながらも、漢文世界から離れられない秋水もまた、師から託された「文章経国」という呪いのうちにあった。

ともに呪いに憑かれながら、兆民にあって、秋水になかったものがある。それを言葉で表現するなら「飄逸」の二文字となろう。それはけっして文章の特質にとどまるものではない。むしろそれは、人生に向き合うひとつのかたち、兆民という人間の生き方であった。「兆民先生」をはじめとする文章において、秋水は兆民の人生を、基本的に失敗として受けとめている。それは「社会を敵として激闘」したにもかかわらず、「革命家に敗れ、政事家に敗れ、商人に敗れ」、そして文壇にも受け入れられることなく死んでいった悲劇の人生である。(21) しかし兆民には、そうした「悲劇」のただなかにおいてすら、みずからの失敗を笑い、家族や友人や猫との団欒を慈しみ、酒を愛し、文楽や義太夫を楽しむ余裕があった。秋水はある夜の師弟の会話を次のように記録している。「唯《ただ》昨夜も先生は平生の持論なる、功名心あれ希望あれ楽天的なれと主張して、予の悲哀的厭世的なるを戒め居《いまし》られたり」(22)。「処世の秘訣は朦朧《もうろう》たるに在り」と諭す師に対して、弟子は、「生甚《はなは》だ朦朧を憎む」と応じた。その弟子に向かって兆民は笑いながら、かつてみずからも用いていた「秋水」という号を授けたのである。兆民は、「義理明白に過ぐ」この弟子を危ぶみつつ、その性を深く愛した。

兆民と秋水のあいだに存在する人生への向き合いかたの差異。それはまた、両者が没入した漢文世界の深度と、それに関連する「士人的エトス」の解釈の差異でもあった。「士大夫」とは、けっして官として出仕することのみを目的として生きた人々ではない。もし時世にかなわなければ、世から退いて人格を養うこともまた、「士大夫」の重要なたしなみと見なされていたからである。(23)「士大夫」の言語とは、治世に参与し、公のために尽力する統治者の言葉と、そうした機会から疎外された文人の言葉の双方により織りなされたものであった。漢文の世界に浸るとは、社会に対するこうした相反する向き合い方をともにわがものとすることである。兆民は「古来幾多の英雄豪傑」が「皆其技倆《ぎりょう》を試むるに及ばずして埋没」した現実を、「是れ其人の罪に非るなり」とありのままに受けとることができた。それは兆民にとって、世に受け入れられなかった文人の言葉もまた「士人的エトス」の重要な一面として受けとめられていたからである。それは「失敗」を重ねたみずからを笑う、かれの「飄逸」という生き方を根底で支えていたものであった。

これに対し秋水の理解した「士人的エトス」は、けっして退くことを許さなかった。もし時世にかなわなかったならば、「自ら進んで其地位を攫取《かくしゅ》し、以て経綸《けいりん》の大策を行ふべき」というのがかれの主張であったからである。秋水は、兆民が亡くなった明治三十四年に刊行された『帝国主義』において、みずからを理想とする「士人」のあり方を、「自ら反して直くんば千万人と雖も我れ往かん」という『孟子』の言葉のうちに見いだしていた。その際秋水が念頭に置いていたのは、フランスのドレフュス事件におけるエミール・ゾラである。秋水は、「赳々たる幾万の貔貅《ひきゅう》、一個の進んでドレフューのために、その冤《えん》を鳴してもって再審を促す者」がないような状況のなか、蹶然《けつぜん》として立ちあがり、「火の如く花の如き大文字」を「仏国四千万の驀頭《ばくとう》に注」いだゾラの活躍を、「文士」の名にふさわしいものとして賞賛していた。(24) 秋水は「士人的エトス」を、不正に満ちた社会を正す「革命家のエトス」として解釈していた。「文章経国」をともに理想として掲げたこの師弟のあいだには、歴史と社会へのかかわりにおいて、ある本質的な差異が存在した。師は、理想と時世のあいだに存する空隙の存在を受け入れる余裕があった。漢籍を学ぶとは、一面で、理想かなわず敗れ去った「士大夫」の生き方を学ぶことでもあったからである。それは、理想かなわずとも、一歩退いた地点から、粘り強くその実現をめざす戦術的後退を可能とした。発布された憲法の全文を読み、「通読一遍唯《た》だ苦笑する耳《のみ》」であった兆民が、それでも「恢復的《かいふくてき》の民権」の論理を以て、粘り強くその理想の実現の道を模索したことはその一例であった。

これに対し、秋水の思想は性急であった。普通選挙による社会主義の実現(議会政策)が不可とみるや、直ちに総同盟罷工による無政府社会の実現(直接行動論)をめざす立場へと移行した。秋水はそれを「文章」により実現することが可能であると信じていた。それはかれの以下のような文章論に明白にあらわれている。

論文の能事は、単に読者を説服した丈けでは不可ぬ、更に感奮させねばならぬ、同情せしめた丈けでは済まぬ、寧ろ魔酔せしめねばならぬ、称賛せしめた丈けでは未だし、遂に同化するに至らねばならぬ、……論文の理想も亦読者の眼中に最早紙なく文字なく、我を忘れて直ちに作者と一体となるの時に在らねばならぬ、(25)

「寸鉄殺人」の文章により読者を「魔酔し」、みずからの理想の実現に向けて煽動していくこと。これが秋水にかけられた「文章経国」の呪いであった。そして政府の苛烈な弾圧により、その文章という武器が完全に奪われたとき、直接的な暴力行使の誘惑が、否応もなく迫ってくる。「大逆事件」への道は、師から託された「文章経国」の理想のうちに、また胚胎していたのである。

本文中の漢詩の訓読文は、長年にわたる友人である伊東貴之氏にお願いした。同氏の厚情に、甚深の感謝を表します。

（1）　以上秋水の経歴に関しては、「年譜」（幸徳秋水全集編集委員会『幸徳秋水全集』〈以下『秋水全集』と略記〉第九巻、明治文献、一九六九年）参照。

（2）　幸徳秋水「後のかたみ」（『秋水全集』第九巻）。

(3) 同右、二九頁。
(4) 三国時代、魏の文帝・曹丕《そうひ》によって記された「典論」が典拠。後に編纂された『文選』に「典論」が採録され、日本にも伝えられた。なおこの書のその後については、山泉進「兆民絶筆『文章経国』の行方」(井田進也編『兆民をひらく』光芒社、二〇〇一年)、柳下誠『兆民老人「文章経国」の遍歴』(つむぎ書房、二〇二一年)。
(5) 中江家における秋水の学び、とりわけ漢文体の文章トレーニングが有する思想史的意義については、飛鳥井雅道「解説」(『幸徳秋水集』筑摩書房、一九七五年)が詳しい。
(6) 本書、四二頁。
(7) ここで秋水は、大阪の中井家での日課について以下のように記している。「朝灑払をなし、終りて後は折節の用使と来客の取次のみにて、其間にて自身にて漢籍をしらべ、新聞雑志を読み、夜分は洋語を学び居れり」(前掲「後のかたみ」三六頁)。
(8) 同右、一九頁(原文のカタカナをひらがなにした)。
(9) 同右、一七—一八頁。
(10) 松永昌三『中江兆民評伝』上(岩波現代文庫、二〇一五年)七七—七八頁。
(11) 本書、四一頁。
(12) 松永、前掲書、八〇頁。
(13) 本書、三七—三八頁。なお「訳常山紀談」は甕谷の三男で法学者の岡松参太郎により、大正五(一九一六)年に刊行された。

(14)湯浅元禎『常山紀談』巻之一「大田持資歌道に志す事」(内外兵事新聞局、一八七九年)。
(15)野村剛史『日本語「標準形」の歴史』(講談社、二〇一九年)八九頁。
(16)齋藤希史『漢文脈と近代日本』角川ソフィア文庫、二〇一四年。
(17)日本歴史のエピソードを漢文で記す実践は、徳川期の『徂徠集』などにもその前例がある。しかし、『訳常山紀談』は、翻訳であることを意識化している点で、そうした前例とは、一線を画している。
(18)本書、一三四―一三五頁。全文は、「帝室と内閣の分離」というタイトルで、『中江兆民全集』一三(岩波書店、一九八五年)に収録。
(19)中江兆民『一年有半』(『兆民全集』一〇)一六八―一六九頁。
(20)本書、一三九頁。
(21)本書、四九頁。
(22)本書、九一頁。
(23)齋藤、前掲書。
(24)幸徳秋水著・山泉進校注『帝国主義』(岩波文庫、二〇〇四年)七二―七三頁。
(25)幸徳秋水「論文の三要件」『文章世界』二巻一一号、一九〇七年一〇月一日(『秋水全集』第六巻)。

［編集附記］

一　本書は、岩波文庫『兆民先生　兆民先生行状記』（一九六〇年七月）に収載された「兆民先生」「兆民先生行状記」「故中江篤介君の葬儀に就て」「夏草（泉州紀行）」「小山久之助君を哭す」に、新たに「兆民先生三周年」「故兆民居士追悼会の記」「十二月十三日記」「文士としての兆民先生」を加えて、新版としたものである。

一　本書は、『幸徳秋水全集』第三巻、第八巻（一九六八年三月、一九七二年六月、幸徳秋水全集編集委員会編）を底本とした。ただし、「兆民先生行状記」は、小泉策太郎著『懐往時談』（一九三五年十一月、中央公論社）に収載された文を底本とした。

一　漢字は新字体、仮名は歴史的仮名遣いとした。平仮名に、適宜、濁点を補った。

一　校注者の判断に拠り、適宜、句読点を補った。また、漢字語に振り仮名を、新仮名遣いで付した。

一　明らかな誤植は訂正した。

一　伊東貴之氏による漢詩の訓読文を、本文中に〔　〕で補った。仮名は、歴史的仮名遣いとした。伊東氏に謝意を表します。

一　本文中に、今日からすると不適切な表現があるが、原文の歴史性を考慮してそのままとした。

（岩波文庫編集部）

兆民先生《ちょうみんせんせい》 他八篇

2023年4月14日　第1刷発行

著　者　幸徳秋水《こうとくしゅうすい》

校注者　梅森直之《うめもりなおゆき》

発行者　坂本政謙

発行所　株式会社 岩波書店
〒101-8002 東京都千代田区一ツ橋2-5-5
案内 03-5210-4000　営業部 03-5210-4111
文庫編集部 03-5210-4051
https://www.iwanami.co.jp/

印刷・三秀舎　カバー・精興社　製本・中永製本

ISBN 978-4-00-331259-9　　Printed in Japan

読書子に寄す

――岩波文庫発刊に際して――

岩波茂雄

真理は万人によって求められることを自ら欲し、芸術は万人によって愛されることを自ら望む。かつては民を愚昧ならしめるために学芸が最も狭き堂宇に閉鎖されたことがあった。今や知識と美とを特権階級の独占より奪い返すことはつねに進取的なる民衆の切実なる要求である。岩波文庫はこの要求に応じそれに励まされて生まれた。それは生命ある不朽の書を少数者の書斎と研究室とより解放して街頭にくまなく立たしめ民衆に伍せしめるであろう。近時大量生産予約出版の流行を見る。その広告宣伝の狂態はしばらくおくも、後代にのこすと誇称する全集がその編集に万全の用意をなしたるか。千古の典籍の翻訳企図に敬虔の態度を欠かざりしか。さらに分売を許さず読者を繋縛して数十冊を強うるがごとき、はたしてその揚言する学芸解放のゆえんなりや。吾人は天下の名士の声に和してこれを推挙するに躊躇するものである。このときにあたって、岩波書店は自己の責務のいよいよ重大なるを思い、従来の方針の徹底を期するため、すでに十数年以前より志して来た計画を慎重審議この際断然実行することにした。吾人は範をかのレクラム文庫にとり、古今東西にわたって文芸・哲学・社会科学・自然科学等種類のいかんを問わず、いやしくも万人の必読すべき真に古典的価値ある書をきわめて簡易なる形式において逐次刊行し、あらゆる人間に須要なる生活向上の資料、生活批判の原理を提供せんと欲する。この文庫は予約出版の方法を排したるがゆえに、読者は自己の欲する時に自己の欲する書物を各個に自由に選択することができる。携帯に便にして価格の低きを最主とするがゆえに、外観を顧みざるも内容に至っては厳選最も力を尽くし、従来の岩波出版物の特色をますます発揮せしめようとする。この計画たるや世間の一時の投機的なるものと異なり、永遠の事業として吾人は微力を傾倒し、あらゆる犠牲を忍んで今後永久に継続発展せしめ、もって文庫の使命を遺憾なく果たさしめることを期する。芸術を愛し知識を求むる士の自ら進んでこの挙に参加し、希望と忠言とを寄せられることは吾人の熱望するところである。その性質上経済的には最も困難多きこの事業にあえて当たらんとする吾人の志を諒として、その達成のため世の読書子とのうるわしき共同を期待する。

昭和二年七月